AF201522

CARDIOLOGY

International Journal of Cardiovascular Medicine, Surgery and Pathology

Founded 1937 as 'Cardiologia' by Bruno Kisch and Wilhelm Löffler, continued by R. Hegglin (1962–1969), I. Mahaim (1962–1965), P. Moret (1966–1969), P.M. Galletti (1966–1979) and Jan J. Kellermann (1980–1990)

KARGER

Printed in Switzerland
on acid-free paper by
Thür AG Offsetdruck, Pratteln

Appears monthly:
2 volumes per year (12 issues)

CARDIOLOGY

Submission: 'Cardiology' publishes original reports in research and observations pertaining to cardiovascular function in health and disease. Only original papers written in English are considered and should be sent to:

Joseph S. Alpert, MD
2601 N. Campbell Avenue
Suite 202A
Tucson, AZ 85719 (USA)
Tel. (602) 326-8334
Fax (602) 326-6188

Manuscripts should be submitted in duplicate (with two sets of illustrations of which one is an original), typewritten double-spaced on one side of the paper, with a wide margin.

Conditions: All manuscripts are subject to editorial review. Manuscripts are received with the explicit understanding that they are not under simultaneous consideration by any other publication. Submission of an article for publication implies the transfer of the copyright from the author to the publisher upon acceptance. Accepted papers become the permanent property of 'Cardiology' and may not be reproduced by any means, in whole or in part, without the written consent of the publisher. It is the author's responsibility to obtain permission to reproduce illustrations, tables, etc. from other publications.

Arrangement

Title page: The first page of each paper should indicate the title (main title underlined), the authors' names, and the institute where the work was conducted. A short title for use as running head is also required.

Key words: For indexing purposes, a list of 3–10 key words in English is essential.

Abstract: Each paper needs an abstract of up to 10 lines.

Small type: Paragraphs which can or must be set in smaller type (case histories, test methods, etc.) should be indicated with a 'p' (petit) in the margin on the left-hand side.

Footnotes: Avoid footnotes. When essential, they are numbered consecutively and typed at the foot of the appropriate page.

Tables and illustrations: Tables and illustrations (both numbered in Arabic numerals) should be prepared on separate sheets. Tables require a heading and figures a legend, also prepared on a separate sheet. For the reproduction of illustrations, only good drawings and original photographs can be accepted; negatives or photocopies cannot be used. When possible, group several illustrations on one block for reproduction (max. size 144 × 196 mm) or provide crop marks. On the back of each illustration, indicate its number, the author's name, and 'top'. Color illustrations are reproduced at the author's expense.

References: In the text identify references by Arabic numerals [in square brackets]. Material submitted for publication but not yet accepted should be noted as 'unpublished data' and not be included in the reference list. The list of references should include only those publications which are cited in the text. Do not alphabetize; number references in the order in which they are first mentioned in the text. The surnames of the authors followed by initials should be given. There should be no punctuation other than a comma to separate the authors. Cite all authors, 'et al' is not sufficient. Abbreviate journal names according to the Index Medicus system. (Also see International Committee of Medical Journal Editors: Uniform requirements for manuscripts submitted to biomedical journals. Br Med J 1988;296: 401–405.)

Examples

(a) Papers published in periodicals: Kauffman HF, van der Heide S, Beaumont F, Blok H, de Vries K: Class-specific antibody determination against *Aspergillus fumigatus* by means of the enzyme-linked immunosorbent assay. III. Comparative study: IgG, IgA, IgM ELISA titers, precipitating antibodies and IgE binding after fractionation of the antigen. Int Arch Allergy Appl Immunol 1986;80:300–306.

(b) Monographs: Matthews DE, Farewell VT: Using and Understanding Medical Statistics. Basel, Karger, 1985.

(c) Edited books: Hardy WD Jr, Essex M: FeLV-induced feline acquired immune deficiency syndrome: A model for human AIDS; in Klein E (ed): Acquired Immunodeficiency Syndrome. Prog Allergy. Basel, Karger, 1986, vol 37, pp 353–376.

Full address: The exact postal address complete with postal code of the senior author must be given. If correspondence is handled by someone else, indicate this accordingly.

Further details: Authors may consult our leaflet 'Rules for the Preparation of Manuscripts', available on request from the Publisher, S. Karger AG, P.O. Box, CH-4009 Basel (Switzerland).

Page charges: There is no page charge for papers of 8 or fewer printed pages (including tables, illustrations and references). Each additional complete or partial page is charged to the author at SFr. 225.– / US $ 150.00. The allotted size of a paper is equal to approx. 16 manuscript pages (including tables, illustrations and references).

Galley proofs: Unless indicated otherwise, galley proofs are sent to the first-named author and should be returned with the least possible delay. Alterations made in galley proofs, other than the correction of printer's errors, are charged to the author. No page proofs are supplied.

Reprints: Order forms and a price list are sent with the galley proofs. Orders submitted after the issue is printed are subject to considerably higher prices. Allow five weeks from date of publication for delivery of reprints.

KARGER

General Information

CARDIOLOGY

Publication data: 'Cardiology' is published 12 times annually. Volumes 82, 83 with 6 issues per volume appear in 1993.

Subscription rates: Subscriptions run for a full calendar year. Prices are given per volume.

Personal subscription:
Subscription + postage and handling
SFr. 71.50 + SFr. 3.90 Europe
SFr. 71.50 + SFr. 5.90 Overseas
US$ 47.50 + US$ 3.90
(Must be in the name of, billed to, and paid by an individual. Order must be marked 'personal subscription'.)

Institutional subscription:
Subscription + postage and handling
SFr. 439.– + SFr. 24.– Europe
SFr. 439.– + SFr. 36.– Overseas
US$ 293.00 + US$ 24.00

Airmail postage: SFr. 36.–, US$ 30.00. (Extra per volume.)

Microform edition: (Microfilms 16 and 35 mm or microfiches) 50% discount on the regular subscription rate for subscribers of the printed edition.

Advertising: Correspondence and rate requests should be addressed to the Publisher.

Subscription orders: Orders can be placed at agencies, bookstores, directly with the Publisher S. Karger AG, P.O. Box, CH – 4009 Basel (Switzerland) or with any of the following distributors:

Deutschland: S. Karger GmbH
Lörracher Strasse 16A, Postfach
D-W-7800 Freiburg

France: Librairie Luginbühl
36, bd de Latour-Maubourg
F-75007 Paris

Great Britain, Ireland: S. Karger Publishers
11 Ravenscroft Road
Beckenham, Kent BR3 4TP

USA: S. Karger Publishers, Inc.
26 WestAvon Road, P.O. Box 529
Farmington, CT 06085

India, Bangladesh, Sri Lanka:
S. Karger India Subscription Agency
B – 5/132 Safdarjung Enclave
New Delhi-110029

Japan: Katakura Libri, Inc.
36-9 Hongo 3-chome, Bunkyo-ku
Tokyo 113

Change of address: Both old and new address should be sent to the subscription source.

Single issues and back volumes: Information can be obtained through the Publisher.

Bibliographic indices: This journal is regularly listed in bibliographic services, including *Current Contents®*.

Book Reviews: Books are accepted for review by special agreement.

Comparative Physiology (ISSN 1015–1702), **Vol. 11**
Series Editors: R.K.H. Kinne; E. Kinne-Saffran, Dortmund;
K.W. Beyenbach, Ithaca, N.Y.

Editors: Robert B. Hill, Kiyoaki Kuwasawa

Phylogenetic Models in Functional Coupling of the CNS and the Cardiovascular System

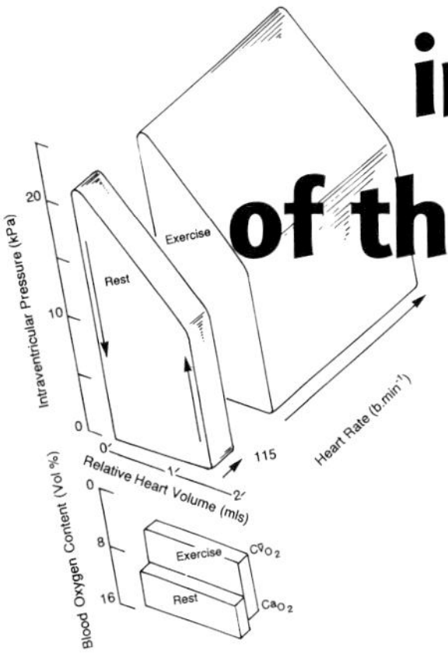

Co-Editors: Brian R. McMahon, Taketeru Kuramoto

This publication deals with the comparative physiology of control of the heart and cardiovascular system by the CNS. A unique emphasis is placed on the relation of cardiovascular control to the physiological demands of the whole organism. The book dramatically illustrates the alternate pathways that have been taken to close cardiovascular control as one ascends the phylogenetic tree. The first section is devoted to functional coupling of the circulatory system in whole organisms. Phylogenetic examples range from the pearly *Nautilis* to the rabbit. The second section covers neural coupling of the CNS and the heart. It reports the latest progress in neural regulation by postsynaptic and intracellular processes. The third section focuses on the roles of peptides and neurohumors in functional coupling of the CNS to the heart and vascular system in molluscs and crustaceans.
Facilitating a functional comparison of the many types of circulatory systems found within the invertebrate phyla, this book is stimulating reading for comparative physiologists, zoologists, medical physiologists and pharmacologists.

Main Headings

- A Tribute to the Memory of the Late Dr. Hiroshi Irisawa
- Functional Coupling of the Circulatory System in Whole Organisms
- Neural Coupling of the CNS and Cardiovascular System
- Peptides in Functional Coupling of the CNS to the Heart and Vascular System

Fields of Interest

Physiology; Cardiovascular System; Zoology; Biochemistry, Genetics, Neurology

Comparative Physiology, Vol. 11
Phylogenetic Models in Functional Coupling of the CNS and the Cardiovascular System
3rd International Congress of Comparative Physiology and Biochemistry, Satellite Symposium, Shimoda, August/September 1991
Editors: Hill, R.B. (Kingston, R.I.); Kuwasawa, K. (Tokyo)
XIV + 256 p., 132 fig., 9 tab., hard cover, 1992
SFr. 320.– / DM 383.– / US $ 256.00
Prices subject to change
DM price for FRG, US $ price for USA only
ISBN 3–8055–5570–9

KI 92582

KARGER

Angiotensin-Konversionsenzym-Hemmer bei Hypertonie

Teil 2 **Schwerpunkt auf Cilazapril**

Angiotensin Converting Enzyme Inhibitors in Treatment of Hypertension

Part 2 **Emphasis on Cilazapril**

Gastherausgeber
J. Rosenthal, Ulm
K.O. Stumpe, Bonn

11 Abbildungen und 23 Tabellen, 1993

KARGER

Cardiology

Vol. 82, Supplement 2, 1993

Diese Publikation wurde ermöglicht durch die finanzielle Unterstützung der Firma E. MERCK, Darmstadt, BRD

S. Karger
Medical and Scientific Publishers
Basel · Freiburg · Paris · London
New York · New Delhi · Bangkok
Singapore · Tokyo · Sydney

Drug Dosage
The authors and the publisher have exerted every effort to ensure that drug selection and dosage set forth in this text are in accord with current recommendations and practice at the time of publication. However, in view of ongoing research, changes in government regulations, and the constant flow of information relating to drug therapy and drug reactions, the reader is urged to check the package insert for each drug for any change in indications and dosage and for added warnings and precautions. This is particularly important when the recommended agent is a new and/or infrequently employed drug.

Printed in Switzerland on acid-free paper by
Thür AG Offsetdruck, Pratteln
ISBN 3–8055–5772–8

Inhaltsverzeichnis

Cardiology 1993;82(suppl 2):1–8

M. Keltai[a]
E. Török[a]
E. Hajdu[a]
St. Rietiker[b]
G. Eassey[b]
Th. Szucs[b]
A. Schneeweiss[c]

[a] Ungarisches Institut für Kardiologie, Budapest, Ungarn;
[b] Bereich Pharma, F. Hoffmann-La Roche, Basel, Schweiz; und
[c] Cardiovascular Research Foundation, Bad Schwalbach, BRD

First-dose-Response auf Cilazapril nach Absetzen von Metoprolol bei hypertensiven Patienten

First Dose Response of Cilazapril after Discontinuation of Metoprolol in Hypertensive Patients

Zusammenfassung

Wir untersuchten an 40 Patienten mit leichter bis mässig schwerer essentieller Hypertonie, deren Blutdruck ausreichend oder teilweise durch Betablocker kontrolliert war, den durch Umstellung von Metoprolol auf den neuen Angiotensin-Konversionsenzym-Hemmer Cilazapril möglichen Effekt auf den Blutdruck. Die Patienten wurden randomisiert und erhielten 1, 2, 3 oder 4 Tage nach dem Absetzen der Metoprololtherapie 2,5 mg Cilazapril p.o. Blutdruck und Puls wurden wiederholt am 1. und 7. Tag der Cilazapriltherapie gemessen. Der Puls stieg nach Abbruch der Metoprololtherapie in allen Gruppen gleich signifikant an (69 Schläge/min mit Metoprolol, 82 Schläge/min nach der Washout-Periode, $p > 0.002$). Der Blutdruck stieg während der Washout-Periode ebenfalls von 142/93 auf 148/97 mm Hg ($p < 0.02$) an. Dieser Anstieg war insignifikant in den Gruppen mit 1 oder 2 medikationsfreien Tagen und signifikant aber klinisch von mässiger Bedeutung in den Gruppen 3 und 4 mit Washout-Perioden von 3 und 4 Tagen. Cilazapril bewirkte 4 h nach der Verabreichung in allen vier Gruppen eine gleichmässige Senkung des diastolischen und systolischen Blutdrucks im Sitzen und Stehen ($p < 0.05$). Es wurde keine signifikante Änderung des Pulses während der Verabreichung von Cilazapril beobachtet. Keiner der Patienten entwickelte eine Rebound-Hypertonie während der medikationsfreien Phase. Bei 3 Patienten traten 90–180 min nach Abgabe der ersten Cilazaprildosis leichte Symptome auf. Ein Patient beendete die Cilazapriltherapie wegen Auftreten einer symptomatischen Hypotonie am 2. und 3. Tag der Therapie. Wir schliessen daraus, dass Metoprolol bei Patienten mit leichter bis mässig schwerer Hypertonie nach einer Washout-Periode von 1–4 Tagen sicher durch Cilazapril ausgetauscht werden kann. Nach unseren Ergebnissen reicht auch eine Zeitspanne von 1 oder 2 Tagen aus, um die Wirkung von Metoprolol auszuwaschen.

Schlüsselwörter

Cilazapril
ACE-Hemmer
Therapieumstellung

Diese Studie wurde von Hoffmann-La Roche unterstützt. Technische Assistenz: M. Podmaniczky.

Adam Schneeweiss, MD
Sauerberg 12
D-W-6208 Bad Schwalbach 7 (BRD)

Einleitung

Die First-dose-Response stellt sich in der täglichen Praxis als wichtiges Problem im Zusammenhang mit einer Vasodilatatorentherapie. Die First-dose-Hypotonie ist ein beträchtliches potentielles Risiko, das mit dem Einsatz von Vasodilatatoren bei Hypertonie und Herzinsuffizienz verbunden sein kann [1–3]. Die Hypotonieinzidenz kann eingeschränkt werden, wenn die Vasodilatatoren einschleichend dosiert, eine vorherige oder begleitende Diuretikagabe sowie eine Hyponatriämie vermieden werden [4, 5].

Im Verlauf einer antihypertensiven Therapie kommt es häufig vor, dass die Betablokkertherapie unterbrochen wird, um eine Behandlung mit einem Angiotensin-Konversionsenzym-Hemmer (ACEI) zu beginnen. Diese Therapieumstellung kann sogar dann erforderlich sein, wenn durch Betablocker der Blutdruck ausreichend kontrolliert wird. In unkontrollierten Untersuchungen wurde der Frage nachgegangen, welche Vorsichtsmassnahmen angebracht sind, um in einem solchen Fall eine First-dose-Hypotonie zu vermeiden. Da nach Abbruch einer Therapie mit Betablockern noch eine gewisse Restwirkung bestehen bleibt, ist es ganz wichtig, Bescheid zu wissen, ob (und wie lange) vor einem Therapiebeginn mit ACEI eine Washout-Periode vorgeschaltet werden muss. Dieser Therapiewechsel ist deshalb von besonderem Interesse, weil ein Mechanismus der antihypertensiven Wirkung von Betablockern darin besteht, das Renin-Angiotensin-System zu unterdrükken [6–8]. Insbesondere soll die gemeinsame Verabreichung von Prazosin und Betablokkern häufiger zu unerwünschten First-dose-Effekten führen als Prazosin alleine [9, 10]. Untersuchungen dieser Art wurden weder mit Cilazapril noch mit anderen ACEI durchgeführt. Ein weiteres Risiko im Zusammenhang mit dem Absetzen einer Betablockertherapie ist die Rebound-Hypertonie, die sich vor allem dann einstellen kann, wenn die Betablokker nicht rechtzeitig durch eine andere wirksame Substanz ersetzt werden.

Diese Studie stellte sich zur Aufgabe, bei Patienten mit leichter bis mässig schwerer essentieller Hypertonie nach Umsetzen von der vorangegangenen Metoprololtherapie auf Cilazapril einen möglichen First-dose-Effekt des neuen ACEI Cilazapril zu beurteilen. Das Ergebnis sollte zeigen, ob und wie lange eine Washout-Phase zwischen die beiden Therapien gelegt werden muss.

Patienten und Methoden

Patienten

Die Untersuchungen wurden mit 40 Patienten (17 Männern und 23 Frauen) im durchschnittlichen Alter von 49,7 ± 11,6 Jahren durchgeführt. Es handelte sich ausschliesslich um ambulant behandelte Patienten, die wegen ihres Bluthochdrucks (der diastolische Blutdruck lag vor Therapie zwischen 90 und 115 mm Hg) unter Metoprololtherapie standen. Folgende Ausschlusskriterien wurden berücksichtigt: Alter unter 18 oder über 70 Jahre, schwere, maligne oder auch komplizierte Hypertonie, instabile Angina pectoris, Myokardinfarkt innerhalb der vergangenen 6 Monate, Herzinsuffizienz, klinisch signifikante Erkrankungen der Atemwege, der Nieren oder der Leber sowie neurologische, hämatologische oder gastrointestinale Erkrankungen, eine zerebrovaskuläre Störung in den vergangenen 12 Monaten, Arrhythmien oder Reizleitungsstörungen, metabolische, endokrine oder Autoimmunerkrankungen, Schwangerschaft, Begleitmedikation, Rauschmittelabusus und angioneurotisches Ödem in der Anamnese.

Studiendesign

Die Studie wurde offen, mit zwei aufeinanderfolgenden Therapiephasen (Phase 1, Washout-Phase, Phase 2) durchgeführt. In der ersten Therapiephase erhielten die Patienten über 2 Wochen Metoprolol in der jeweiligen vorher auch eingenommenen Dosis. In der zweiten Therapiephase bekamen die Patienten 2,5 mg Cilazapril p.o. einmal täglich (zur Verfügung gestellt von Hoffmann-La Roche, Basel, Schweiz). Die Patienten wurden randomisiert auf vier Gruppen aufgeteilt: Gruppe 1 – 1 Tag, Gruppe 2 – 2 Tage, Gruppe 3 – 3 Tage und Gruppe 4 – 4 Tage therapiefreie Zeit.

Zwischen den vier Gruppen bestanden keine signifikanten Unterschiede hinsichtlich des durchschnittlichen Alters, des Körpergewichts und der mittleren Körpergrösse. Von den Studienteilnehmern in der Gruppe 1 waren 80% Männer, während in den anderen Gruppen anteilsmässig die Frauen vorherrschten. Das Zeitintervall zwischen Phase 1 und Phase 2 (die Washout-Phase) war in den vier Behandlungsgruppen verschieden lang. Nachdem die Patienten auf Cilazapril umgestellt waren, wurden sie 7 Tage lang mit der gleich hohen Cilazaprildosis weiterbehandelt. Die Compliance wurde durch Nachzählen der Tabletten überprüft.

Um die Sicherheit bewerten zu können, wurden während der Phase 1, am Ende der Washout-Phase und dann wieder nach der Phase 2 routinemässig Labortests durchgeführt.

Phase 1

Um die Eignung für diese Studie festzustellen, wurden die Patienten untersucht, ein EKG angefertigt, Labortests durchgeführt und der Blutdruck gemessen. Die dann ausgewählten Patienten begannen mit einer 2wöchigen Metoprololtherapie in einer festgelegten Dosierung von 50–200 mg/Tag (Phase 1). Am Tag 14, dem Ende der Phase 1, wurden die Patienten gebeten, ihr Medikament abzusetzen. Zwischen der Phase 1 und 2 durfte von den Patienten keinerlei Herz-Kreislauf-spezifische Medikation eingenommen werden.

Phase 2

Entsprechend der Randomisierung begann die Cilazapriltherapie an folgenden Tagen: in Gruppe 1 am Tag 15 (10 Patienten); in Gruppe 2 am Tag 16 (11 Patienten); in Gruppe 3 am Tag 17 (9 Patienten) und in Gruppe 4 am Tag 18 (10 Patienten). Sie dauerte 7 Tage lang. Bevor die Cilazapriltherapie begann, wurden die Patienten nochmal umfangreich klinisch untersucht, mit Blutdruck- und Pulsmessung, EKG und Beurteilen von unerwünschten Ereignissen. Die Patienten bekamen eine 2,5mg-Kapsel Cilazapril verabreicht und wurden die ersten 4 h überwacht. In diesem Zeitraum wurden alle 30 min Blutdruckwerte (im Sitzen und Stehen), Pulsfrequenz und eventuell unerwünschte Ereignisse festgehalten. Wenn die Patienten während der 4 h nach dieser ersten Cilazaprildosis keinerlei schwerere Nebenwirkungen feststellten, konnten sie nach Hause gehen. Die Therapie wurde mit 2,5 mg Cilazapril täglich 7 Tage lang fortgeführt. Danach erfolgte nochmals eine klinische und elektrokardiographische Untersuchung, und die Laborwerte wurden gemessen.

Auswertung der Daten

Die Gruppen wurden in Bezug auf die Blutdruckwerte und die Herzfrequenz zu den Zeitpunkten 0, 30, 60, 90, 120, 180, 210 und 240 min verglichen. Es wurden Mittelwerte, Standardabweichungen und Mediane errechnet, sowie eine Varianzanalyse durchgeführt. Die Blutdruckänderung innerhalb jeder Gruppe wurde mit dem gepaarten t-Test bestimmt. Die Gruppen untereinander wurden mit dem Kruskal-Wallis-Test (Global-Test) verglichen. Lag eine Signifikanz von $p < 0,05$ vor, wurde ein paarweiser Vergleich mit dem Mann-Whitney-Wilcoxon-Test durchgeführt.

Ergebnisse

Mit Ausnahme eines Patienten beendeten alle anderen die Studie, ohne dass Komplikationen auftraten. Nach Absetzen von Metoprolol wurde in allen Gruppen eine leichte Erhöhung der systolischen und diastolischen Blutdruckwerte beobachtet, die aber nur in den Gruppen 3 und 4 signifikant war. Der Puls stieg nach Abbruch der Metoprololtherapie signifikant an (69 verglichen mit 82 Schläge/min). Der Anstieg war in jeder Gruppe ähnlich hoch (Tab. 1, 2). Die erste Cilazaprildosis bewirkte in allen vier Gruppen eine allmähliche Senkung des diastolischen und systolischen Blutdrucks im Sitzen (Tab. 3, 4). Die prozentuale Blutdruckänderung zeigte in den vier Gruppen keine Unterschiede. Die Blutdruckänderungen im Stehen waren ebenfalls ähnlich. Auch die Herzfrequenz änderte sich in den Gruppen während der ersten 240 min nach Cilazaprilgabe nicht. Keiner der Patienten entwickelte am ersten Tag der Cilazaprilverabreichung eine orthostatische Hypotonie.

Tabelle 1. Diastolischer und systolischer Blutdruck im Sitzen (mm Hg)

		Gruppe				Gesamt
		1 (n = 10)	2 (n = 11)	3 (n = 10)	4 (n = 9)	(n = 40)
Systolischer Blutdruck						
Ende der Phase 1	x̄	142,1 (100%)	154,6 (100%)	134,1 (100%)	133,4 (100%)	141,6 (100%)
	SD	22,7	19,2	17,9	14,2	20,1
Ende der Washout-Phase	x̄	145,0 (102%)	157,7 (101%)	146,4 (109%)	139,8 (105%)	147,6 (104%)
	SD	17,3	17,4	14,4	13,9	16,7
Ende der Phase 2	x̄	137,2 (96%)	139,3 (90%)	134,8 (101%)	123,6 (93%)	134,1 (95%)
	SD	20,7	17,4	27,2	9,9	
Diastolischer Blutdruck						
Ende der Phase 1	x̄	93,1 (100%)	100,2 (100%)	90,3 (100%)	89,0 (100%)	103,4 (100%)
	SD	13,0	7,4	10,1	7,5	10,4
Ende der Washout-Phase	x̄	92,2 (99%)	102,2 (102%)	100,0 (111%)	92,9 (104%)	97,1 (104%)
	SD	13,5	4,5	10,6	7,7	10,2
Ende der Phase 2	x̄	87,4 (94%)	92,3 (92%)	93,2 (103%)	82,7 (93%)	89,1 (95%)
	SD	10,7	6,6	12,5	9,0	10,4

[a] $p < 0{,}05$, [b] $p < 0{,}02$, Metoprolol verglichen mit der Washout-Phase.
[c] $p < 0{,}05$, [d] $p < 0{,}02$ Cilazapril verglichen mit der Washout-Phase.
x̄ = Mittelwert; SD = Standardabweichung.

Nebenwirkungen

Während der Washout-Periode oder am ersten Tag der Verabreichung von Cilazapril traten keine schweren unerwünschten Ereignisse auf. Eine Patientin berichtete über Schwindel 150–180 min nach der ersten Cilazaprildosis. In diesem Zeitraum fiel ihr Blutdruck leicht ab. Insgesamt wurde das Ereignis als nicht so wichtig eingestuft, als dass es Anlass gegeben hätte, die Cilazaprilbehandlung abzubrechen. Im weiteren Verlauf fiel ihr Blutdruck noch weiter ab, aber ohne irgendwelche subjektiven Symptome. Bei einem anderen Patienten mit Myokardinfarkt in der Anamnese wurden 90–150 min nach der ersten Cilazaprildosis Extrasystolen registriert, die aber nicht mit einer Hypokaliämie in Zusammenhang standen und auch wieder spontan aufhörten. Ein dritter Patient hatte 150 min nach der ersten Cilazaprildosis ein Taubheitsgefühl in seiner Zunge. Seine Blutdruckwerte im Sitzen eben zu diesem Zeitpunkt lagen bei 102/70 mm Hg. Diese 3 beschriebenen Fälle sind als First-dose-Effekte zu betrachten. Die Zeitspanne ohne Medikation betrug bei diesen Patienten 3 oder 4 Tage, so dass additive Wirkungen von Betablockern und Vasodilatatoren nicht sehr wahrscheinlich sind. Ein weiterer Patient bekam unter der Cilazapriltherapie Herzklopfen, aber ohne dass im EKG Arrhythmien registriert worden wären.

Die Laboruntersuchungen während der Washout-Phase oder der 7tägigen Cilazaprilbehandlung brachten keine Hinweise auf irgendwelche wichtigen Veränderungen.

Tabelle 2. Systolischer Blutdruck im Sitzen (mm Hg) am Tag der ersten Cilazaprildosis

		Gruppe				Gesamt
		1 (n = 10)	2 (n = 11)	3 (n = 10)	4 (n = 9)	(n = 40)
Vor Cilazapril	x̄	145,0 (100%)	157,6 (100%)	146,6 (100%)	139,8 (100%)	147,7 (100%)
	SD	17,3	17,4	14,4	13,9	16,7
Nach Cilazapril						
30 min	x̄	143,0 (99%)	145,3 (92%)	143,4 (98%)	132,2 (95%)	141,3 (96%)
	SD	20,0	14,4	16,7	15,6	16,9
60 min	x̄	139,0 (96%)	143,6 (91%)	139,6 (95%)	130,2 (93%)	138,5 (94%)
	SD	18,5	15,0	16,6	13,5	16,2
90 min	x̄	133,6 (92%)	137,3 (87%)	138,0 (94%)	126,7 (91%)	134,1 (92%)
	SD	12,8	14,7	13,0	13,2	13,7
120 min	x̄	128,6 (89%)	134,9 (86%)	135,0 (92%)	123,3 (88%)	130,8 (89%)
	SD	16,3	15,2	12,5	13,9	14,8
150 min	x̄	126,4 (87%)	133,6 (85%)	132,4 (90%)	122,9 (88%)	129,1 (87%)
	SD	14,5	17,2	12,2	13,0	14,6
180 min	x̄	126,4 (87%)	133,5 (85%)	130,8 (89%)	118,0 (84%)	127,6 (86%)
	SD	14,8	16,1	14,7	9,7	14,8
210 min	x̄	125,8 (86%)	131,8 (84%)	129,4 (88%)	118,7 (85%)	126,8 (86%)
	SD	15,2	13,3	12,9	7,9	13,2
240 min	x̄	128,0 (88%)	132,4 (84%)	131,4 (90%)	115,6 (83%)	127,3 (86%)
	SD	14,8	14,7	14,6	8,1	14,6

x̄ = Mittelwert; SD = Standardabweichung.

Diskussion

Umsetzen von Betablockern auf ACEI

ACEI zählen heute gemeinsam mit Diuretika, Betablockern und Kalziumantagonisten zur Therapie der ersten Wahl bei Hypertonie. Häufig werden Patienten, deren Blutdruck durch eine Substanz einer Antihypertensivagruppe nicht ausreichend kontrolliert werden kann, auf ein Therapeutikum einer anderen Gruppe umgesetzt, anstatt eine zweite Substanz zusätzlich zu verabreichen. Ein solcher Wechsel wird möglicherweise nicht nur aus Gründen einer eventuell besseren Wirksamkeit durchgeführt, sondern auch der Verträglichkeit oder auch anderer therapeutischer Ziele wegen, die durch zusätzliche Eigenschaften bestimmter Substanzen erreicht werden sollen. Aus diesem Grund geschieht es oft, dass bei ganz bestimmten Patienten Betablocker durch ACEI ersetzt werden, obwohl der Blutdruck ausreichend kontrolliert ist.

Cilazapril

Cilazapril ist eine neue Substanz. Sie wurde als Ergebnis von dreidimensionalen Computermodellen für eine spezifische und selektive Hemmung des ACE entwickelt. Es ist die Estervorstufe des Cilazaprilats, das zwei Säuregruppen trägt [11]. Es wird sehr

Tabelle 3. Diastolischer Blutdruck im Sitzen (mm Hg) am Tag der ersten Cilazaprildosis

		Gruppe				Gesamt
		1 (n = 10)	2 (n = 11)	3 (n = 10)	4 (n = 9)	(n = 40)
Vor Cilazapril	$\bar{x}$	92,2 (100%)	102,2 (100%)	100,0 (100%)	92,9 (100%)	97,1 (100%)
	SD	13,5	4,5	10,6	7,7	10,2
Nach Cilazapril						
30 min	$\bar{x}$	92,2 (100%)	97,5 (95%)	98,2 (98%)	91,6 (99%)	95,0 (98%)
	SD	12,1	3,6	12,4	7,7	9,7
60 min	$\bar{x}$	91,8 (100%)	95,5 (93%)	98,0 (98%)	89,6 (96%)	93,9 (97%)
	SD					
90 min	$\bar{x}$	88,0 (96%)	94,6 (92%)	97,8 (98%)	86,9 (94%)	92,0 (95%)
	SD	9,9	4,9	10,7	6,5	9,2
120 min	$\bar{x}$	85,4 (93%)	92,0 (90%)	95,0 (95%)	84,9 (91%)	89,5 (92%)
	SD	13,3	5,5	9,4	6,4	9,8
150 min	$\bar{x}$	83,6 (91%)	91,1 (89%)	94,4 (94%)	84,0 (90%)	88,5 (91%)
	SD	11,5	6,8	13,4	9,3	11,1
180 min	$\bar{x}$	83,2 (90%)	90,4 (88%)	91,8 (92%)	82,4 (89%)	87,2 (90%)
	SD	11,7	7,4	12,1	9,8	10,9
210 min	$\bar{x}$	84,6 (91%)	90,0 (88%)	91,4 (91%)	81,6 (88%)	87,1 (90%)
	SD	11,7	6,1	11,0	6,2	9,6
240 min	$\bar{x}$	84,6 (91%)	89,3 (87%)	91,4 (91%)	78,2 (84%)	86,2 (89%)
	SD	11,1	6,5	10,5	7,6	10,1

$\bar{x}$ = Mittelwert; SD = Standardabweichung.

Tabelle 4. Herzfrequenz (Schläge/min)

		Gruppe				Gesamt
		1 (n = 10)	2 (n = 11)	3 (n = 10)	4 (n = 9)	n = 40
Ende der Phase 1	$\bar{x}$	63,6 (100%)	70,3 (100%)	70,7 (100%)	73,7 (100%)	69,5 (100%)
	SD	9,2	12,2	9,7	15,1	11,8
Ende der	$\bar{x}$	79,1 (124%)	85,9 (122%)	80,4 (114%)	84,3 (115%)	82,5 (119%)
Washout-Phase	SD	19,7	13,1	10,7	10,9	13,9
Ende der Phase 2	$\bar{x}$	76,5 (120%)	83,1 (118%)	75,5 (107%)	82,3 (112%)	79,4 (114%)
	SD	9,4	14,6	12,1	11,9	12,3

$\bar{x}$ = Mittelwert; SD = Standardabweichung.

schnell absorbiert; die Spitzenplasmaspiegel sind bereits 1,7 h nach einer Dosis erreicht [12]. Die Ausscheidung erfolgt fast ausschliesslich über die Niere, die lange Halbwertszeit macht eine einmal tägliche Verabreichung möglich. Erst in jüngster Zeit wurden umfassende klinische Ergebnisse publiziert [11–13].

Umsetzen von Metoprolol auf Cilazapril

Nach unseren Ergebnissen kann Metoprolol nach einer Zeitspanne von 1, 2, 3 oder 4 Tagen zwischen der letzten Metoprolol- und der ersten Cilazaprildosis sicher durch Cilazapril ausgetauscht werden. Zwischen den verschiedenen Zeitintervallen konnten keine signifikanten Unterschiede gefunden werden. Jeder Zeitraum kann gewählt werden, je nachdem, welche klinische Notwendigkeit und persönliche Erfahrung bestehen. Eine längere Washout-Phase als 2 Tage scheint jedoch nicht nötig zu sein. Der Blutdruckanstieg nach dieser Zeit ist signifikant.

Das Risiko einer First-dose-Hypotonie ist dann grösser, wenn Vasodilatatoren und Diuretika zusammen verabreicht werden [13]. Deshalb ist mit einem solchen Risiko auch zu rechnen, wenn Diuretika nach einer nur kurzen Washout-Phase durch ACEI ersetzt werden sollen. Jedoch muss auch dem Wechsel von einer Betablocker- auf eine ACEI-Therapie besondere Aufmerksamkeit gewidmet werden, da ein Wirkmechanismus der Betablocker bei Hypertonie darin besteht, das Renin-Angiotensin-System zu unterdrücken [6]. Nach unseren Untersuchungen verläuft das Umsetzen problemlos. Es sollte in optimaler Art und Weise durchgeführt werden, um unerwünschte Reaktionen nach dem Absetzen eines Betablockers zu verhindern. Da noch eine kurze Zeit nach dem Absetzen von Metoprolol seine Wirkung teilweise bestehen bleibt, und ACEI auf das sympathische Nervensystem modulierend eingreifen, und den Blutdruck sehr schnell senken, besteht kaum ein Risiko einer Rebound-Hypertonie, wenn Betablocker in einem angemessenen Zeitraum durch Cilazapril ersetzt werden. Nach unseren Ergebnissen sind nicht mehr als 1 oder 2 Tage Washout notwendig, wenn Metoprolol durch Cilazapril ausgetauscht werden soll.

Dosisbestimmung

Alle Patienten erhielten ohne Ausnahme 2,5 mg Cilazapril. Deshalb gelten unsere Schlussfolgerungen auch nur für diese Dosis, die die empfohlene Einstiegsdosis für Cilazapril ist. Aus vorangegangenen Studien geht hervor, dass eine Einmalgabe dieser Dosis die ACE-Aktivität zu mehr als 90% hemmen, einen erhöhten Blutdruck signifikant senken, und die diastolische Herzfunktion verbessern kann [14–16].

Bei Patienten, bei denen ein Hypotonierisiko besteht, ist es jedoch vorteilhaft, mit 1,25 mg zu beginnen, einer Dosis, die ebenfalls eine signifikante Wirkung zeigt [4, 13]. Ein erhöhtes Risiko bestand für unsere Gruppe hypertensiver Patienten nicht, und deshalb, wie auch um keine eventuell mögliche Hypotonie zu übersehen, setzten wir 2,5 mg ein.

Schlussfolgerung

Metoprolol kann bei hypertensiven Patienten nach einer 1- bis 4-tägigen therapiefreien Washout-Phase, beginnend mit einer Dosis bis zu 2,5 mg, sicher durch Cilazapril ersetzt werden.

Literatur

1 New Zealand Hypertension Study Group: Four to seven year follow-up of patients on prazosin. NZ Med J 1980;92:341–346.

2 Mookherjee S, et al: Acute effects of captopril on cardiopulmonary hemodynamics and renin-angiotensin-aldosterone and bradykinin profile in hypertension. Am Heart J 1983; 106:106–111.

3 Packer M, Medina N, Yushak M: Identification of patients at high risk of symptomatic hypotension during captopril therapy for severe heart failure (abstract). New York, American Heart Association, 1983.

4 Rosendorf C: Prazosin: Severe side effects are dose-dependent. Br Med J 1976;ii:508–509.

5 Fauchald P, Helgeland A, Storm Mathiasen H: Treatment of hypertension with prazosin. An open study in general practice; in Rawlins MD, Geyer G, Bleifeld W (Hrsg): European Prazosin Symposium. Amsterdam, Excerpta Medica, 1979, pp. 85–93.

6 Laragh JH: The classification and treatment of essential hypertension using the renin-sodium index for vasoconstriction-volume analysis. Johns Hopkins Med J 1975;137: 184–194.

7 Michelakis AM, McAllister RG: The effect of chronic adrenergic blockade on plasma renin activity in man. J Clin Endocrinol Metab 1972; 34:386–389.

8 Buhler FR: Propranolol inhibition of renin secretion: A specific approach to diagnosis and treatment of renin-dependent hypertensive disease. N Engl J Med 1971;187: 1209–1215.

9 Graham RM, et al: A controlled study in hypertensive patients of the first dose phenomenon observed with prazosin therapy. Aust NZ J Med 1977;7:211–217.

10 Seideman P, Grahnen A, Haglund K: Prazosin first dose phenomenon during combined treatment with a beta-adrenoreceptor blocker in hypertensive patients. Br J Clin Pharmacol 1982;13:865–869.

11 Waterfall JF: A review of the preclinical cardiovascular pharmacology of cilazapril, a new angiotensin converting enzyme inhibitor. Br J Clin Pharmacol 1989;27:139S–150S.

12 Williams PEO, Brown AN, Bajaguru S, Francis RJ, Walters GE, Mcewen J, Durnin C: The pharmacokinetics and bioavailability of cilazapril in normal man. Br J Clin Pharmacol 1989;27;181S–188S.

13 Shionoiri H, Gotoh E, Sugimoto K, Takasaki I, Minamisawa K, Ishii M: Antihypertensive effects and pharmacokinetics of single and consecutive doses of cilazapril in hypertensive patients with normal or impaired renal function. Br J Clin Pharmacol 1989;27:283S–287S.

14 Massarella J, DeFeo L, Lin A, Limjuco R, Brown A: The pharmacokinetics and dose proportionality of cilazapril. Br J Clin Pharmacol 1989;27:199S–204S.

15 Morgan T: Efficacy of cilazapril compared with hydrochlorothiazide in the treatment of mild to moderate essential hypertension. Am J Med 1989;87(suppl 6B):37S–41S.

16 Schneeweiss A, Rosenthal J, Marmor A: Comparative evaluation of the acute and chronic effects of cilazapril and hydrochlorothiazide on diastolic cardiac function in hypertensive patients. J Hum Hypertens 1990;4:535–539.

Cardiology 1993;82(suppl 2):9–21

F.X. Kleber
W. Doering

Abteilung für Kardiologie,
Krankenhaus München-Schwabing,
Akademisches Lehrkrankenhaus,
Ludwig-Maximilians-Universität,
München, BRD

Arterielle Hypertonie und linksventrikuläre Funktionsstörung: Pathophysiologie, Diagnose und Therapie

Arterial Hypertension in Conjunction with Left Ventricular Dysfunction: Pathophysiology, Diagnosis and Therapy

Schlüsselwörter
Arterielle Hypertonie
Diastole
Hypertensive Herzkrankheit
Linksventrikuläre Dysfunktion
Linksventrikuläre Hypertrophie

Einleitung

Es ist als Erfolg der antihypertensiven Therapie zu werten, dass die Inzidenz der hypertensiven Herzkrankheit stark zurückgegangen ist und nicht mehr die Hauptursache der Herzinsuffizienz darstellt. In der Framingham-Studie [1] war die arterielle Hypertonie allein oder in Kombination mit koronarer Herzkrankheit oder anderen Herzerkrankungen verantwortlich für die Mehrzahl der Erkrankungen an Herzinsuffizienz und ging einer Herzinsuffizienz bei 75% der Männer und bei 74% der Frauen voraus. Die koronare Herzkrankheit war nur in 42 respektive 35% der Fälle nachweisbar.

In neueren Studien [2–4] wurde arterielle Hypertonie jedoch als minderbedeutende Ursache der Herzinsuffizienz eingestuft. In der SOLVD-Studie an 2569 Patienten mit beeinträchtigter linksventrikulärer Funktion, ausgewiesen durch eine Auswurffraktion von 35% oder niedriger, und klinischen Zeichen einer Herzinsuffizienz, hatten 73% der weissen Patienten eine koronare Herzerkrankung, hingegen nur 4% eine arterielle Hypertonie [2]. Nur bei schwarzen Patienten trugen koronare und hochdruckbedingte Herzerkrankungen gleichermassen zur Entwicklung der Herzinsuffizienz bei. Auch in der Promise-Studie war die Genese der Herzinsuffizienz überwiegend ischämischer Natur [3]. In der monozentrischen MHFT-Studie [4] hatten von 170 Patienten mit leichter Herzinsuffizienz nur 12% eine hypertensive Herzerkrankung als Hauptursache der Herzinsuffizienz.

PD Dr. med. F.X. Kleber
Abteilung Kardiologie
Krankenhaus München-Schwabing
Ludwig-Maximilians-Universität
Kölner Platz 1, D-W–8000 München 40 (BRD)

Diese Unterschiede in der Prävalenz der kardialen Grunderkrankungen der Herzinsuffizienz sind jedoch nur teilweise auf einen Rückgang der hypertensiven Herzkrankheit zurückzuführen. In den oben erwähnten Untersuchungen war eine systolische Dysfunktion Bedingung der Randomisierung. Es haben jedoch bis zu 40% der Patienten mit Herzinsuffizienz eine normale systolische Funktion [5]. Die diastolische linksventrikuläre Dysfuntion, die die linksventrikuläre Hypertrophie bei hypertensiver Herzkrankheit begleitet, trägt wesentlich zur Symptomatik der Patienten mit Herzinsuffizienz bei und kann sogar die einzige Ursache sein. Darüber hinaus hat die hypertensive Herzkrankheit mit linksventrikulärer Hypertrophie erheblichen Einfluss auf die Prognose [6, 7], sowie auf kardiale und zerebrovaskuläre Komplikationen [8]. Die Prognose von Patienten mit Herzinsuffizienz ist unabhängig von der Ätiologie schlecht [1] und ist trotz neuerer therapeutischer Fortschritte immer noch dramatisch beeinträchtigt [9]. Patienten mit arterieller Hypertonie und linksventrikulärer Dysfuntion haben zwei getrennte prognostische Risikofaktoren, die grosse Anstrengungen in Diagnose und Behandlung der Pathomechanismen rechtfertigen. Die vorliegende Übersichtsarbeit setzt sich mit den gegenwärtigen Kenntnissen über die zugrunde liegende Pathophysiologie, verfügbaren diagnostischen Methoden und den therapeutischen Optionen auseinander.

Linksventrikuläre Funktion bei Hypertonie

Die arterielle Hypertonie kann zu linksventrikulärer Dysfunktion führen oder sie begleiten. In beiden Fällen wird eine Wechselwirkung zwischen den zwei Krankheitsprozessen bestehen. Bei schwerer linksventrikulärer Dysfunktion ist meist kein Hochdruck mehr nachweisbar, da das Herz als Blutpumpe nicht im Stande ist, angesichts eines hohen systemischen vaskulären Widerstands hohen Druck aufzubauen. Andererseits kann bei einer hypertonen Krise eine Linksherzinsuffizienz auftreten, obwohl die linksventrikuläre Funktion normal ist. Für jeden Schweregrad der linksventrikulären Funktionseinschränkung gibt es eine obere Toleranzgrenze für die Nachlast. Wenn diese Toleranzgrenze überschritten wird, entsteht eine manifeste Herzinsuffizienz.

Die Pathophysiologie wird weiter kompliziert durch das unterschiedliche Ausmass, in dem systolische und diastolische Dysfunktionen zur Symptomgenese beitragen. Die systolische Dysfunktion ist gut erkennbar an der Einschränkung der Auswurffraktion, üblicherweise begleitet von einer linksventrikulären Dilatation, die häufig auch vorangeht. Die systolische Dysfunktion auf dem Boden einer hypertensiven Herzkrankheit tritt jedoch erst im Spätstadium auf.

Nach Grossman et al. [10] führt erhöhte systolische Wandspannung zu konzentrischer Hypertrophie, d.h. zur Faserverdickung und einem vergrösserten Wand/Lumenverhältnis. Erhöhte diastolische Wandspannung führt hingegen zu einer Addition von Sarkomeren in Reihe, zu einer Muskelfaserverlängerung, die eine exzentrische Hypertrophie bewirkt. Der Mechanismus, der den Übergang einer konzentrischen Hypertrophie bei hypertensiver Herzkrankheit in eine exzentrische Hypertrophie und Kammerdilatation im Spätstadium verursacht, ist nicht genau bekannt.

Die diastolische Dysfunktion des hypertrophierten linken Ventrikels geht der systolischen Dysfunktion voran. Strukturelle (erhöhte Wanddicke durch Muskelhypertrophie und Fibrose), biochemische (Erhöhung der zytosolischen Kalziumkonzentration, erniedrigte ATP-Konzentrationen) und hormonelle (Katecholamine, Angiotensine) Faktoren spielen eine Rolle bei der Genese von Störungen der Relaxation und Dehnbarkeit und führen zu einem erhöhtem Einflusswiderstand. Die myokardiale «Erfordernisischämie» bei schwerer Hypertrophie führt vorwiegend zur diastolischen Dysfunktion [11], während die «Versorgungsischämie» durch die begleitende koronare Herzkrankheit bedingt ist. Dies kann sich durch den reduzierten diastolischen Koronarfluss bei Patienten mit hohen Füllungsdrücken noch verstärken und zusätzlich die systolische Ventrikelfunktion beeinträchtigen. Darüber hinaus ist bei hypertensiver Herzhypertrophie die Koronarreserve üblicherweise auch ohne Vorliegen einer koronaren Herzkrankheit reduziert [12].

Molekulare, biochemische und hormonelle Faktoren können die Relaxation weiter beeinträchtigen [13–19]. Die Ischämie begünstigt die intrazelluläre Akkumulation von Kalzium in der Diastole, das parallel mit dem diastolischen Druck ansteigt [13]. Die Reduktion der Kalziumwiederaufnahme während der Diastole wurde mit einer verringerten Genexpression der mRNA für die Kalziumpumpe des sarkoplasmatischen Retikulums und sein regulatorisches Protein Phospholamban in Verbindung gebracht [14, 15]. Das könnte zu Energieverarmung (sichtbar als myokardialer cAMP-Mangel) führen. Eine veränderte Expression des regulatorischen G-Proteins wurde beschrieben [16, 17], ebenso eine Dedifferenzierung verschiedener myokardialer Proteine, die fötalen Isoformen entsprechen [18]. Direkte Hormoneffekte tragen zur diastolischen Funktionsstörung bei. So wurde eine verstärkte Genexpression der mRNA für das Angiotensin-Konversionsenzym korreliert mit der diastolischen Dysfunktion. Angiotensin II beeinflusst die enddiastolische Druck-Volumen-Beziehung unabhängig von seinen Effekten auf systolischen Druck oder systolische Lastbedingungen [19].

Diese Faktoren tragen zusammen mit Natrium- und Wasserretention zu erhöhten Füllungsdrücken (bei vergleichbaren diastolischen Volumina) bei. Die entstehende Lungenstauung führt durch Dyspnoe zu einer Limitierung der körperlichen Leistungsfähigkeit. Die reduzierte Ventrikeldehnbarkeit kann darüber hinaus den Schlagvolumenanstieg während einer Belastung reduzieren, indem sie eine ausreichende Vordehnung der Sarkomere, die zur Ausnützung des Frank-Starling-Mechanismus erforderlich ist, verhindert [20].

Diagnose der linksventrikulären Funktionsstörung bei Hypertonie

Die Diagnose der systolischen Dysfunktion wird wie bei anderen Grunderkrankungen vornehmlich durch Messung der Auswurffraktion gestellt. Eine Einschränkung der Auswurffraktion kann einer linksventrikulären Dilatation vorausgehen. Deshalb hat die Messung der linksventrikulären Volumina in Diastole und Systole eine höhere Sensibilität für die Feststellung einer frühen systolischen Dysfunktion.

Die diastolische Dysfunktion ist allerdings häufiger bei arterieller Hypertonie und spielt eine wichtige Rolle in der Pathogenese der Herzinsuffizienz aufgrund einer hypertensiven Herzkrankheit [21]. Die Diagnose einer diastolischen Dysfunktion ist jedoch schwierig und bedarf der Berücksichtigung mehrerer pathophysiologischer Mechanismen [22, 23] (Tab. 1).

Nicht invasive Untersuchungsmethoden messen meist komplexe Parameter der diastolischen Dysfunktion, die durch verschiedene strukturelle, hämodynamische und biochemische Mechanismen zum Teil gegensätzlich beeinflusst werden. Durch Veränderungen der Relaxation oder erhöhte Kammer-

Table 1. Einflussfaktoren auf das diastolische Füllverhalten

Linker Vorhofdruck
AV-Klappenfunktion
Herzfrequenz und PR-Intervall
Relaxation der linken Kammer
Passive Compliance der linken Kammer
Linksventrikulärer systolischer Druck
Herzhypertrophie
Linksventrikuläre systolische Funktion
Linksventrikuläres Volumen
Atmung
Alter

steifigkeit finden sich Reduktionen der frühdiastolischen Füllung, die entweder radionuklidventrikulographisch als maximale Füllgeschwindigkeit oder echokardiographisch als maximale frühe Einflussgeschwindigkeit gemessen werden. Diese Störungen werden jedoch häufig begleitet von einer Erhöhung des linksatrialen Druckes, der diese Parameter gegensätzlich beeinflusst und somit zu einer Pseudonormalisierung führen kann. So fanden einige Forscher [22] nur bei 38% ihrer Patienten mit Herzinsuffizienz und normaler systolischer Funktion eine pathologische maximale Füllgeschwindigkeit. Parameter, die die frühe diastolische Einflussgeschwindigkeit messen, unterschätzen somit die Häufigkeit diastolischer Störungen.

Hinzu kommt, dass bei Patienten mit Herzinsuffizienz diesen Parametern eine prognostische Bedeutung zukommt, die häufig nicht sofort richtig eingeschätzt wird: herzinsuffiziente Patienten mit normalen frühdiastolischen Einflussparametern (maximale Füllgeschwindigkeit oder Zeit bis zum Erreichen der maximalen Füllgeschwindigkeit) haben eine schlechtere Prognose als herzinsuffiziente Patienten mit pathologischen frühen Füllungsparametern [23]. Diese Befunde unterstreichen auf eindrucksvolle Art und Weise die Bedeutung hämodynamischer Parameter für die frühe Ventrikelfüllung bei Herzinsuffizienz: Die hämodynamischen Konsequenzen der diastolischen Störungen gleichen die Auswirkungen einer erhöhten Kammersteifigkeit oder von Relaxationsstörungen auf die Füllungsparameter aus und können die Effekte der diastolischen Störung auf die Füllparameter maskieren.

Andere Parameter der diastolischen Funktionsbeurteilung, wie z.B. isovolumetrische Relaxationszeit (prüft vorwiegend die Relaxation), Dezelerationszeit und linksatrialer Entleerungsindex (prüft eine Kombination aus Relaxation und Kammersteifigkeit), frühe und späte maximale Füllgeschwindigkeiten, sind mit ähnlichen Interpretationsproblemen behaftet. Deshalb müssen Veränderungen der diastolischen Füllparameter anhand der zugrunde liegenden Pathophysiologie interpretiert werden. All Funktionsstörungen, die in Tabelle 1 aufgelistet sind, stehen miteinander in Wechselwirkung und müssen berücksichtigt werden, wenn Parameter der linksventrikulären diastolischen Funktion evaluiert und interpretiert werden.

Oft wird zur Beurteilung der diastolischen Funktion die Kenntnis der linksventrikulären Volumina und Hämodynamik benötigt.

Diagnose der Hypertonie

Die Diagnose der arteriellen Hypertonie ist durch wiederholte Blutdruckmessung nach Riva-Rocci oder noch besser durch 24stündige Blutdruckmessung schnell zu stellen. Es muss jedoch berücksichtigt werden, dass insbesondere bei milder arterieller Hypertonie auch ohne Therapie nach den ersten Messungen innerhalb der ersten 3 Monate häufig ein Blutdruckabfall beobachtet wird. Daher muss die Diagnose der Hypertonie unterstützt werden durch die qualitative und quantitative

Beurteilung der Endorganschädigung. Insbesondere die Feststellung einer linksventrikulären Hypertrophie ist für die Einschätzung der Dringlichkeit einer Behandlung wichtig, da sie Einfluss darauf hat, wie rasch und wie intensiv eine Blutdrucksenkung oder -normalisierung angestrebt wird. Sie ist ausserdem ein exzellenter Parameter der Therapieeffizienz. Die Messung der Wanddicke reicht für diese Zwecke jedoch nicht aus [24, 25]. Die linksventrikuläre Masse muss mit entsprechenden Formeln bestimmt werden, z.B. mittels der M-Mode-Echokardiographie: LV Masse = 1,04 × [(diastolische Septumdicke + diastolische Ventrikeldurchmesser + diastolische Dicke der posterioren Wand)^3 – (linksventrikuläre diastolische Durchmesser)^3] – 13,6. Diese linksventrikuläre Masse wird am besten dann auf die Körperoberfläche korrigiert [24]. Eine vergrösserte linksventrikuläre Masse ist ein Schlüsselbefund, um den Beitrag von diastolischen Störungen zur Symptomatologie und die individuelle Prognose besser abschätzen zu können. Dies ist weitgehend von der exakten Höhe des Blutdrucks unabhängig. Die Bestimmung der linksventrikulären Masse ist den EKG-Kriterien einer linksventrikulären Hypertrophie weit überlegen [25]. Sie ist ein unabhängiger Indikator von hypertensiven Komplikationen und somit ein Meilenstein für therapeutische Entscheidungen. Die linksventrikuläre Masse ist vergrössert ($>$ 110 g/m^2 für Frauen und 134 g/m^2 für Männer) bei zirka 10–15% aller Patienten mit Grenzwerthypertonie und bei ungefähr 20% der Patienten mit leichter unkomplizierter Hypertonie [26].

Einfluss von Begleiterkrankungen auf die linksventrikuläre Funktion

Die arterielle Hypertonie kommt häufig gleichzeitig mit anderen kardiovaskulären Erkrankungen und Stoffwechselstörungen vor, die die linksventrikuläre Funktion weiter beeinträchtigen. Die Myokardinfarktinzidenz ist mindestens doppelt so hoch unter Hypertonikern wie bei Normotonikern [27].

Der Verlauf eines Myokardinfarktes bei Patienten mit linksventrikulärer Hypertrophie wird oft kompliziert durch Rhythmusstörungen und Herzinsuffizienz. Die Hypertonie selbst führt nach Myokardinfarkt zu erhöhter Wandspannung und zu erhöhter Ventrikelschädigung. Ein spontaner Blutdruckabfall ist jedoch ein beunruhigendes Zeichen, das oft auf einem Nachlassen der systolischen Funktion der linken Herzkammer beruht [28].

Bei Patienten mit linksventrikulärer Hypertrophie kann häufig der erhöhte Sauerstoff- und Substratbedarf nicht mehr gedeckt werden, dies ist insbesondere bei gleichzeitiger koronarer Herzkrankheit der Fall. Ischämie mit diastolischer und später systolischer Dysfunktion ist die Folge.

Die arterielle Hypertonie tritt häufig in Verbindung mit einem Diabetes mellitus auf, und 2/3 der Patienten mit lange bestehendem Diabetes mellitus haben eine arterielle Hypertonie. Zwischen beiden Erkrankungen wurde eine Verbindung auf metabolischer Basis postuliert und als «metabolisches Syndrom» beschrieben [29–32].

Der Diabetes mellitus kann über eine Erkrankung der kleinen Gefässe und über myokardiale Störungen zur diastolischen Dysfunktion beitragen (häufig als diabetische Myopathie bezeichnet). Eine Adipositas kann den Diabetes mellitus, die arterielle Hypertonie und linksventrikuläre Hypertrophie weiter verschlechtern.

Obwohl sie bei hypertensiven Patienten nicht speziell häufig vorkommt, tritt die kalzifizierende (senile) Aortenstenose häufig gleichzeitig mit einem Diabetes mellitus und einer Hypercholesterinämie auf. Sie ist wahrscheinlich die häufigste valvuläre Erkrankung im Erwachsenenalter speziell im höheren Alter, und trägt ihrerseits zu diastolischer und später systolischer Dysfunktion bei. Andere Faktoren, die eine arterielle Hypertonie und Ventrikelfunktion begleiten, wie Hyperthyreose oder diverse Rhythmusstörungen, können beträchtlich zum klinischen Erscheinungsbild der arteriellen Hypertonie mit Ventrikeldysfunktion beitragen.

Therapeutische Ziele

In zahlreichen Studien ist belegt, dass die Behandlung der arteriellen Hypertonie die Morbidität durch Schlaganfall, Herzinsuffizienz, hypertensive Enzephalopathie, Nierenversagen und Aortendissektion reduziert [33–38]. Daher ist die Blutdrucksenkung das wichtigste Ziel in der Behandlung der arteriellen Hypertonie.

Die linksventrikuläre Hypertrophie ist jedoch ein unabhängiger Prognosefaktor und muss daher bei der Behandlung der arteriellen Hypertonie mit berücksichtigt werden. Patienten mit linksventrikulärer Hypertrophie haben ein mehrfach erhöhtes Herzinfarktrisiko, ebenso ein mehrfach erhöhtes Risiko für Bypassoperationen, Schlaganfall, plötzlichen Herztod und Herzinsuffizienz [39, 40]. Die Rückbildung einer linksventrikulären Hypertrophie im Rahmen einer antihypertensiven Therapie verbessert den natürlichen Verlauf von kardiovaskulären Erkrankungen [41]. Daher ist die Regression einer Linkshypertrophie das zweite wesentliche Therapieziel bei der Behandlung der arteriellen Hypertonie. Sie ist besonders bedeutend bei Patienten mit Ventrikeldysfunktion. Linksventrikuläre Hypertrophie trägt zur Symptomatik und zur Progression der Herzinsuffizienz wesentlich bei.

Ein drittes wichtiges Therapieziel bei Patienten mit Ventrikeldysfunktion und arterieller Hypertonie ist die Symptomatik einer chronischen Herzinsuffizienz zu lindern; ähnlich wichtig ist das vierte therapeutische Ziel, die Progression der Herzinsuffizienzsymptomatik zu verlangsamen. Die Progression der Herzinsuffizienz ist nach einigen Untersuchungen eng verknüpft mit der linksventrikulären Dilatation, die wiederum eine Beziehung zur Vorlast [10] und zur neurohormonellen Aktivierung [42–44] zeigt. Das fünfte therapeutische Ziel ist die Rückbildung der Gefässwandhypertrophie. Die peripheren Gefässe entwickeln während einer Hypertonie eine Wandverdickung, die zum Anstieg des peripheren Widerstands beiträgt [45]. Die Rückbildung dieser Veränderungen, speziell in den Widerstandsgefässen, könnte die Pathophysiologie der arteriellen Hypertonie grundlegend beeinflussen [46].

Das sechste therapeutische Ziel ist die Reduktion koronarer Komplikationen. Durch antihypertensive Therapie liess sich das Risiko für zahlreiche vaskuläre Komplikationen beträchtlich senken. Allerdings war die antihypertensive Therapie bemerkenswert ineffektiv in der Senkung mancher arteriosklerotischer Komplikationen, speziell des akuten Myokardinfarkts [47].

Eine mögliche Erklärung hierfür ist der Beitrag der Therapie selbst zum Risiko einer koronaren Herzkrankheit. Die häufigst gebrauchten Antihypertonika, Diuretika und Betablocker, haben potenziell schädliche Effekte auf Serumlipide und auf den Kohlenhydratstoffwechsel [48–51]. Diese Interaktionen sind um so wichtiger, da der akute Myokardinfarkt bei hypertensiven Patienten mit bereits vorbestehender Ventrikelfunktionseinschränkung katastrophale Folgen haben und alle früheren Bemühungen um Verbesserung der Prognose dieser Patienten zunichte machen kann.

Tabelle 2. Differentialtherapie der Hypertonie bei Patienten mit eingeschränkter linksventrikulärer Funktion

	Wirkungsvolle Besserung								
	Hypertonie				chronische Herzinsuffizienz				
	Blutdruck	LV Hypertrophie	Mediahypertrophie	Atherosklerose	Inotropie	Nachlast	Vorlast	Neurohormone	Compliance
Diuretika	+	–	–	±	±	(+)	++	±	(+)
Betablocker	+	(+)	–	(–)	–	–	±	(+)	–
Kalziumantagonisten	+	++	?	(+)	±	+	±	±[1]	+
ACE-Hemmer	+	++	+	(+)	–	++	++	++	++
Clonidin	+	++	?	?	–	?	–	(+)	–
α-Methyldopa	+	++	?	?	–	?	–	(+)	–
Trimasin	+	–	–	+(+)	–	(+)	(+)	–	–
Hydralazin	+	–	(–)	(–)	–	++	±	±	(+)
Nitrate	(+)	–[2]	?	?	–	(+)	++	–	–

(+), +, ++ = Wirkungsvolle Therapie; (–), – = wirkungslose Therapie; ± = unerwünschte Erscheinungen möglich; ? = Wirksamkeit/Sicherheit unbekannt; LV = linksventrikulär.

[1] Amlodipin und Fenoldipin haben möglicherweise keine grösseren unerwünschten Wirkungen.

[2] Kann zur Vermeidung einer durch Volumenüberlastung bedingten Hypertrophie nach Myokardinfarkt sinnvoll sein.

Medikamentöse Therapie

Obwohl Antihypertensiva in ihrer Fähigkeit, den Blutdruck zu senken, sehr ähnlich sind, sind sie in ihrer Fähigkeit, die linksventrikuläre Hypertrophie rückgängig zu machen, nicht gleichwertig. Sie haben zum Teil gegenteilige Effekte auf linksventrikuläre Funktion und Progression der Herzinsuffizienz, sie haben unterschiedliche Wirksamkeit, wenn es um die Verbesserung der Gefässwandhypertrophie geht, und sie können (müssen aber nicht) ungünstige metabolische Wirkungen haben. Die Auswahl der antihypertensiven Substanzen ist daher besonders wichtig. Zusätzlich zur Wirksamkeit in bezug auf die oben erwähnten Ziele muss das Nebenwirkungsprofil der verschiedenen Substanzen in die Überlegungen miteinbezogen werden.

Für die Behandlung der Hypertonie schlagen die nationalen und internationalen Gesellschaften derzeit vier Klassen von antihypertensiven Substanzen als erste therapeutische Option vor: Diuretika, Betablocker, ACE-Hemmer und Kalziumantagonisten.

Bei Patienten mit Zeichen und Symptomen einer chronischen Herzinsuffizienz und bei Patienten mit systolischen Funktionsstörungen wird die Wahl der antihypertensiven Therapie noch komplizierter, da die Wirkungen auf Vorlast und auf Neurohormone genauso bedeutend sind, wie die Wirkungen auf Nachlast und linksventrikuläre Hypertrophie. Wie in Tabelle 2 dargestellt, müssen alle Substanzklassen unter folgenden Aspekten beurteilt werden: Verbesserung der Herzinsuffizienz (Inotropie, Nachlast, Vorlast, Compliance, Neurohormone), Regression der linksventrikulären Hypertrophie, Rückbildung der

Veränderungen an der Gefässwand, Reduktion des Blutdrucks und Auswirkungen auf eine Atherosklerose.

Die Medikamente im einzelnen

Diuretika

Diuretika sind am häufigsten zur Behandlung von arteriellem Hochdruck und Herzinsuffizienz eingesetzt worden. Die Evidenzen für ihre Wirksamkeit sind überwältigend, solange es um Reduktion von hohem Blutdruck und von Komplikationen aufgrund arteriellen Hochdrucks geht. Es konnte jedoch nicht übereinstimmend gezeigt werden, dass die linksventrikuläre und vaskuläre Hypertrophie durch Diuretika verringert wird [46, 52, 53]. Diuretika reduzieren die Vorlast und können eine Abnahme der Nachlast bewirken. Durch die Reduktion der Vorlast können sie die Compliance des linken Ventrikels verbessern [54]. Sie lindern die Symptome der Herzinsuffizienz [55].

Die Verbesserung der Compliance durch Diuretika wird in erster Linie über eine Senkung des rechtsventrikulären enddiastolischen Drucks, durch Dämpfung der ventrikulären Interaktion und durch Reduktion der perikardialen Einflüsse verursacht, aber auch durch Reduktion des koronaren Venen- und Blutdrucks, was zu einem Verlust der erektilen Wirkung der Blutgefässe im Myokard führt [54, 56].

Diuretika haben keine inotropen Wirkungen. Sie aktivieren Neurohormone, besonders das Renin-Angiotensin-Aldosteron-System. Auf koronare Risikofaktoren und möglicherweise auf Atherosklerose wirken sich Diuretika ungünstig aus [48]. Diuretika sind besonders bei Patienten mit hohen Füllungsdrükken und Stauung indiziert. Sie sind ideale Kombinationspartner für ACE-Hemmer.

Betablocker

Betablocker reduzieren den Blutdruck ähnlich wirksam wie Diuretika. Eine leichte und spät einsetzende Wirkung auf die linksventrikuläre Hypertrophie scheint bei dieser Substanzklasse vorhanden zu sein [57–60].

Es konnte keine Rückbildung der Gefässwandhypertrophie gezeigt werden [46]. Betablocker sind üblicherweise kontraindiziert bei Patienten mit Herzinsuffizienz. Trotzdem sind sie die einzigen Substanzen, für die belegt werden konnte, dass sie das Risiko für den plötzlichen Tod bei Patienten mit eingeschränkter linksventrikulärer Funktion (nach Myokardinfarkt) verringern. In einigen Studien ist gezeigt worden, dass sie auch die Auswurffraktion verbessern, trotz negativer inotroper Effekte [siehe Übersicht 61].

Insgesamt werden jedoch Lastbedingungen und Inotropie bei Herzinsuffizienz, besonders wenn sie hypertensiven Ursprungs ist, nicht günstig beeinflusst. Durch unerwünschte Änderungen im Lipidprofil und in der Glukosetoleranz könnte gleichzeitig der atherosklerotische Prozess beschleunigt werden. Betablocker sind vor allem indiziert bei Patienten mit Ischämie, bei Patienten mit hoher Herzfrequenz oder vorangegangenem Myokardinfarkt und bei Patienten mit supraventrikulären und ventrikulären Rhythmusstörungen. Sie werden oft mit Kalziumantagonisten kombiniert, um so refraktäre Tachykardien, die bei manchen dieser Substanzen beobachtet werden, abzuschwächen. Bei Patienten mit eingeschränkter systolischer Funktion könnte diese Kombination schwere negativ inotrope Wirkungen auf das Herz haben.

Kalziumantagonisten

Bei gleicher Wirksamkeit in der Blutdruckkontrolle konnte für Kalziumantagonisten gezeigt werden, dass sie die linksventrikuläre Hypertrophie deutlich reduzieren [63, 64], obwohl die Rückbildung der Fibrose nicht so vollständig wie bei der Therapie mit ACE-Hemmern zu sein scheint. Eine Studie [46] zeigte eine günstige Beeinflussung der Gefässwandhypertrophie, während dies von anderen Studien nicht belegt werden konnte. Ähnliches konnte auch für die koronaren Widerstandsgefässe gezeigt werden [65].

Bei Patienten mit Herzinsuffizienz haben Kalziumantagonisten jedoch unerwünschte Wirkungen [66, 67]. Sie werden zum Teil durch ihre negativ inotropen Effekte verursacht und zum Teil durch Aktivierung des Renin-Angiotensin-Systems. Sie sind daher bei Patienten mit manifester Herzinsuffizienz kontraindiziert. Liegt eine instabile Angina vor, sollten sie nur in Verbindung mit Betablockern verwendet werden [68]. Nur neuere Kalziumantagonisten, wie Amlodipin und Fenoldipin scheinen das Renin-Angiotensin-Aldosteron-System weniger zu aktivieren. Über eine Verbesserung der Relaxation können Kalziumantagonisten dagegen die linksventrikuläre diastolische Funktion deutlich verbessern [69]. Bei Hochdruck mit starker linksventrikulärer Hypertrophie werden sie häufig mit ACE-Hemmern kombiniert, um die Blutdruckkontrolle effektiver zu machen. Beide Substanzen reduzieren sehr wirksam die Hypertrophie. Nach verschiedenen vorläufigen Studien [70–72] scheinen Kalziumantagonisten auch auf Atherosklerose günstige Effekte zu haben, verändern jedoch die anderen Risikofaktoren nicht. Einige Kalziumantagonisten sind hilfreich in der Reduzierung der Kammerfrequenz bei Vorhofflimmern, wie es oft bei hochdruckbedingter Herzerkrankung vorkommt.

ACE-Hemmer

ACE-Hemmer senken den Blutdruck und reduzieren die linksventrikuläre Hypertrophie wie auch die Hypertrophie der Gefässwand [73–75]. Sie verbessern die Pathophysiologie der Herzinsuffizienz dadurch, dass sie Vorlast und Nachlast verringern und die neurohormonelle Aktivität senken [76, 77]. Sie verbessern die Compliance [78], was zum Teil darauf beruht, dass Angiotensin II die Steifigkeit des Ventrikels erhöht (siehe oben). Die Domäne für eine Therapie mit ACE-Hemmern ist die Kombination von Hochdruck und Herzinsuffizienz. ACE-Hemmer verbessern die Prognose der Herzinsuffizienz bei Patienten mit schwerer Erkrankungsform [79], schwerer ventrikulärer Dysfunktion ohne Herzinsuffizienz [80] sowie bei milder Herzinsuffizienz mit mässig eingeschränkter linksventrikulärer Funktion [81]. In dieser Hinsicht sind sie anderen Vasodilatatoren überlegen [82]. ACE-Hemmer sind ideale Kombinationspartner für Diuretika, da sie viele unerwünschte Wirkungen dieser Substanzen auf Neurohormone und Stoffwechsel abschwächen, während sie auf Nachlast und Vorlast additive Effekte zeigen. ACE-Hemmer werden besonders gut vertragen und sind in dieser Hinsicht Betablockern und α-Methyldopa überlegen [83]. In seltenen Fällen (5%) schränkt Husten ihre Verwendung bei empfindlichen Patienten ein. Sie haben keine ungünstigen metabolischen Effekte.

Medikamente der zweiten Wahl

Clonidin [84] und α-Methyldopa [85] beeinflussen stark die linksventrikuläre Hypertrophie. Auch für Prazosin ist eine Rückbildung der Linksherzvergrösserung gezeigt worden [84], für Trimazosin dagegen nicht [86].

Die Daten für Hydralazin sind zum Teil widersprüchlich, es konnte nicht in allen Studien gezeigt werden, dass sich die Hypertrophie der linken Kammer und der Gefässwand zurückbildet [46].

Nitrate haben wenig Wirkung auf den arteriellen Hochdruck, obwohl sie die Vorlast bei Herzinsuffizienz beeinflussen. Bei ständigem Gebrauch muss die Entwicklung einer hämodynamischen und pharmakologischen Toleranz berücksichtigt werden. Nitrate können jedoch bei diastolischer Herzinsuffizienz den Füllungsdruck senken und die anginösen Symptome lindern, so dass sie als ergänzende Therapie oft hilfreich sind.

Schlussfolgerungen

Diagnose und Therapie der Hypertonie sind differenzierter geworden. Neben der Blutdruckkontrolle muss die Schädigung verschiedener Organe, besonders die des Herzens und der Blutgefässe, mit in Betracht gezogen werden. Besonders wichtig ist die Differentialdiagnose von diastolischen versus systolischen Ventrikelfunktionsstörungen bei Patienten mit Hochdruck und Herzinsuffizienz. Die Echokardiographie ist eine Grundvoraussetzung für Diagnose und Therapie geworden. Die Differentialtherapie muss folgende Gegebenheiten berücksichtigen: Vorlast, Nachlast und Blutdruck, Hypertrophie des linken Ventrikels und der Gefässwand, metabolische und hormonelle Folgen, aber auch pro- oder antiatherosklerotische Substanzeffekte und das übrige Nebenwirkungsprofil der Medikation. Die Möglichkeiten einer weiteren Verbesserung der Symptomatik und die zusätzliche Senkung der Sterblichkeitsrate schaffen einen Ausgleich für die Anstrengungen in Diagnostik und Behandlung.

Literatur

1 McKee PA, Castell WP, McNamara PM, Kannel WB: The natural history of congestive heart failure: The Framingham Study. N Engl J Med 1971;285:1441–1446.
2 The SOLVD Investigators: Effect of enalapril on survival in patients with reduced left ventricular ejection fraction and congestive heart failure. N Engl J Med 1991;325:293–302.
3 Packer M, Carver JR, Rodeheffer RJ, Ivanhoe RJ, DiBianco R, Zeldis SM, Hendrix GH, Bommer WJ, Elkayam U, Kukin ML, Mallis GI, Sollano JA, Shannon J, Tandon PK, DeMets DL for the Promise Study Research Group: Effect of oral milrinone on mortality in severe chronic heart failure. N Engl J Med 1991;325:1468–1475.
4 Kleber FX, Niemöller L, Doering W: Impact of converting enzyme inhibition on progression of chronic heart failure. Results of the Munich Mild Heart Failure Trial (MHFT). Br Heart J 1992;67:289–296.
5 Soufer R, Wohlgelernter D, Vita NA, Amuchestegui M, Sostman HD, Berger HJ, Zaret BL: Intact systolic left ventricular function in clinical congestive heart failure. Am J Cardiol 1985;55:1032–1036.
6 Kanell WB, Sorlie P: Hypertension in Framingham; in Paul O (ed): Epidemiology and Control of Hypertension. New York, Stratton, 1975, pp 553–573.
7 Casale PN, Devereux RB, Milner M, et al: Value of echocardiographic measurement of left ventricular mass in predicting cardiovascular morbid events in hypertensive men. Ann Intern Med 1986;105:173–178.
8 Aronow WS, Koenigsberg M, Schwartz KS: Usefulness of echocardiographic left ventricular hypertrophy in predicting new coronary events and atherothrombotic brain infarction in patients over 62 years of age. Am J Cardiol 1988;61:1130–1132.
9 Cohn JN, Johnson G, Ziesche S, Cobb F, Francis G, Tristani F, Smith R, Dunkman WB, Loeb H, Wong M, Bhat G, Goldman S, Fletcher RD, Doherty J, Hughes VC, Carson P, Cintron G, Shabetai R, Haakenson C: A comparison of enalapril with hydralazine-isosorbide dinitrate in the treatment of chronic congestive heart failure. N Engl J Med 1991;325:303–310.
10 Grossman W, Jones D, McLaurin LP: Wall stress and patterns of hypertrophy in the human left ventricle. J Clin Invest 1975;56:56–64.
11 Grossman W: Diastolic dysfunction in congestive heart failure. N Engl J Med 1991;325:1557–1564.
12 Strauer BE: Myocardial oxygen consumption in chronic heart disease: Role of wall stress, hypertrophy and coronary reserve. Am J Cardiol 1979;44:37–40.
13 Kihara Y, Grossman W, Morgan JP: Direct measurements of changes in intracellular calcium transients during hypoxia, ischemia and reperfusion of the intact mammalian heart. Circ Res 1989;65:1029–1044.

14 Mercardier JJ, Lompré AM, Duc P, et al: Altered sarcoplasmic reticulum Ca^{2+}-ATPase gene expression in the human ventricle during end-stage heart failure. J Clin Invest 1990;85:305–309.
15 Feldman AM, Ray PE, Silan CM, Mercer JA, Minobe W, Bristow MR: Selective gene expression in failing human heart: Modification of steady state levels of messenger RNA in endomyocardial biopsies using the polymerase chain reaction. Circulation 1991;83:1866–1872.
16 Böhm M, Schwinger RGH, Erdmann E: Veränderungen des cAMP-Adenylatcyclasesystems am insuffizienten menschlichen Herzen. Konsequenzen für die Therapie mit positiv inotropen Pharmaka. Klin Wochenschr 1990;68:887–895.
17 Bristow MR, Hershberger RE, Port JD, et al: β-Adrenergic pathways in non failing and failing human ventricular myocardium. Circulation 1990;82(suppl I):I12–I25.
18 Holtz J, Finckh M: Pathophysiologie kardiorenaler Regelmechanismen bei Herzinsuffizienz. Z Kardiol 1991;80(suppl 2):1–10.
19 Schunkert H, Dzau VJ, Tang SS, Hirwch AT, Apstein CS, Lorell BH: Increased rat cardiac angiotensin-converting-enzyme activity and mRNA expression in pressure overload left ventricular hypertrophy, effects on coronary resistance, contractility and relaxation. J Clin Invest 1990;86:1913–1920.
20 Kitzman DW, Higginbotham MB, Cobb FR, Sheikh KH, Sullivan MJ: Exercise intolerance in patients with heart failure and preserved left ventricular systolic function: Failure of the Frank-Starling mechanism. J Am Coll Cardiol 1991;17:1065–1072.
21 Fouad FM, Slominski MJ, Taraci RC: Left ventricular diastolic function in hypertension: Relation to left ventricular mass and systolic function. J Am Coll Cardiol 1984;3: 1500–1506.
22 Hamilton Dougherty A, v. Naccarelli G, Gray EL, Hicks CH, Goldstein RA: Congestive heart failure with normal systolic function. Am J Cardiol 1984;54:778–782.
23 Clements IT, Brown ML, Zinsmeister AR, Gibbons RJ: Influence of left ventricular diastolic filling and symptoms and survival in patients with decreased left ventricular systolic function. Am J Cardiol 1991; 67:1245–1250.
24 Devereux RB, Reichek N: Echocardiographic determination of left ventricular mass in man. Anatomic validation of the method. Circulation 1977;55:613–621.
25 Kohren MJ, Devereux RB, Casale BN, Savage DD, Laragh JH: Relation of left ventricular mass and geometry to morbidity and mortality in uncomplicated essential hypertension. Ann Intern Med 1991; 114:345–352.
26 Hammond IW, Devereux RB, Alderman MH, Lutas EM, Spitzer MC, Crowley JS, Laragh JH: The prevalence and correlates of echocardiographic left ventricular hypertrophy among employed patients with uncomplicated hypertension. J Am Coll Cardiol 1986;7:639.
27 Kannel WB, Dannenberg AL, Abbot RD: Unrecognized myocardial infarction and hypertension: The Framingham Study. Am Heart J 1985;109:581.
28 Coronary Drug Project Research Group: Blood pressure in survivors of myocardial infarction. J Am Coll Cardiol 1984;4:1135.
29 Wellborn TA, Breckenridge A, Dollery CT, Rubinstein AH, Fraser TR: Serum insulin in essential hypertension and in peripheral vascular disease. Lancet 1966;i:1336–1337.
30 Reaven GM, Hoffmann BB: A role of insulin in the etiology and course of hypertension? Lancet 1987;ii: 435–436.
31 Rett K, Lotz N, Wicklmayr M, Fink E, Jauch KW, Dietze BG: Verbesserte Insulinwirkung durch ACE-Hemmung beim Typ-II-Diabetiker. Dtsch Med Wochenschr 1988;113: 243.
32 Ferrannini E, Haffner SM, Stern MP: Essential hypertension: An insulin-resistant state. Cardiovasc Pharmacol 1990;15(suppl 5)18–25.
33 Veterans Administration Cooperative Study Group on Hypertensive Agents: Effects of treatment on morbidity in hypertension: Results in patients with diastolic blood pressure averaging 115 through 129 mm Hg. JAMA 1967;202:1028–1034.
34 Veterans Administration Cooperative Study Group on Hypertensive Agents: Effects of treatment on morbidity in hypertension. II. Results in patients with diastolic blood pressure averaging 90 through 114 mm Hg. JAMA 1970;213:1143–1152.
35 Hypertension Detection and Follow-Up Program Cooperative Group: Five-year findings of the Hypertension Detection and Follow-Up Program. I. Reduction in mortality of persons with high blood pressure, including mild hypertension. JAMA 1979;242:2562–2571.
36 Multiple Risk Factor Intervention Trial Research Group: Multiple Risk Factor Intervention Trial. JAMA 1982;248:1465–1477.
37 Medical Research Council Working Party: MRC trial of treatment of mild hypertension: Principal results. Br Med J 1985;291:97–104.
38 Amery A, Brixbo P, Clement D, et al: Mortality and morbidity results from the European Working Party on High Blood Pressure in the Elderly Trial. Lancet 1985;i:1349–1354.
39 Devereux R: Cardiac involvement in essential hypertension. Med Clin North Am 1987;71:813–826.
40 Kannel WB: A prognostic comparison of asymptomatic left ventricular hypertrophy and unrecognized myocardial infarction: The Framingham Study. Am Heart J 1986;11:391–397.
41 Kannel WB, D'Agostino RB, Levy D, Belanger AJ: Prognostic significance of regression of left ventricular hypertrophy. Circulation 1988; 78(suppl II):II-89.
42 Francis GS, Benedict C, Johnstone DE, Kirlin PC, Nicklas J, Liang C, Kubo SH, Rudin-Toretsky E, Yusuf S for the SOLVD Investigators: Comparison of neuroendocrine activation in patients with left ventricular dysfunction with and without heart failure. A substudy of the studies of left ventricular dysfunction (SOLVD). Circulation 1990;82: 1724–1729.

43 Kleber FX, Nussberger J, Niemöller L, Doering W, Brunner H: The renin-angiotensin system, catecholamines and atrial natriuretic factor in acute myocardial infarction and left ventricular dysfunction. Cardiovasc Drug Ther 1991;5(suppl 3): 331.
44 Swedberg K, Eneroth P, Kjekshus J, Snapinn S, for the CONSENSUS Trial Study Group: Effects of enalapril and neuroendocrine activation on prognosis in severe congestive heart failure (follow-up of the CONSENSUS Trial). Am J Cardiol 1990; 66:40D-45D.
45 Chobanian AV: 1989 Corcoran Lecture: Adaptive and maladaptive responses of the arterial wall to hypertension. Hypertension 1990;15: 666–674.
46 Schachter M: Drug-induced modification of vascular structure: Effects of antihypertensive drugs. Am Heart J 1991;122:316–323.
47 Swales JD, Ramsay LE, Coope JR, Pocock SJ, Robertson JIS, Sever PS, Shaper AG: Treating mild hypertension. Agreement from large trials. Report of the British Hypertension Society Working Party. BMJ 1989; 298:694–698.
48 Pollare T, Lithell H, Berne C: A comparison of the effects of hydrochlorothiazide and captopril on glucose and lipid metabolism in patients with hypertension. N Engl J Med 1989;321:868–873.
49 Ames RP: Negative effects of diuretic drugs on metabolic risk factors for coronary heart disease: Possible alternative drug therapies. Am J Cardiol 1983;51:632–638.
50 Weinberger MH: Antihypertensive therapy and lipids: Evidence, mechanisms, and implications. Arch Intern Med 1985;145:1102–1105.
51 Medical Research Council Working Party on Mild to Moderate Hypertension: Adverse reactions to bendrofluazide and propranolol for the treatment of mild hypertension. Lancet 1981;ii:539–543.
52 Motz W, Klepzig M, Stellwaag M, Strauer BE: Regression der Herzhypertrophie unter Saluretika (abstract)? Klin Wochenschr 1987;65 (suppl):165–176.
53 Wollam GL, Hall DW, Porter VD, Douglas MB, Unger DJ, Blumenstein BA, Cotsonis GA, Knudtson ML, Felner JM, Schlant RC: Time course of regression of left ventricular hypertrophy in treated hypertensive patients. Am J Med 1983; 75(suppl):110A.
54 Warren SE, Grossman W: Prognosis in heart failure: Is systolic or diastolic dysfunction more important? Herz 1991;324–329.
55 Bayliss J, Norell M, Canepa-Anson R, Sutton G, Poole-Wilson P: Untreated heart failure: Clinical and neuroendocrine effects of introducing diuretics. Br Heart J 1987;57: 17–22.
56 Vogel WM, Apstein CS, Briggs LL, Gaasch WH, Ahn J: Acute alterations in left ventricular diastolic chamber stiffness. Role of the 'erectile effect' of coronary arterial pressure and flow in normal and damaged hearts. Circ Res 1982;51:465–478.
57 Wikstrand J, Trimarco N, Ricciardelli N, DeLuca N, Volope M: Reversal of cardiovascular changes during antihypertensive treatment: Functional consequences and time course of reversal as judged from clinical studies. Hypertension 1984; 6(suppl III):III348–III367.
58 Sau F, Seguro C, Merano G, Cherchi A: Atenolol but not acebutolol reverses left ventricular hypertrophy secondary to arterial hypertension. J Am Coll Cardiol 1986;7(suppl): A186.
59 Rowlands DB, Glover DR, Stallard TJ, Littler WA: Control of blood pressure and reduction of echocardiographically assessed left ventricular mass with once-daily timolol. Br J Clin Pharmacol 1982;14:89–95.
60 Corea L, Bentivioglio M, Verdecchia P, Providenza M, Motolese M: Left ventricular hypertrophy regression in hypertensive patients treated with metoprolol. J Clin Pharmacol 1984;22:363–370.
61 Jessup M: Beta-adrenergic blockade in congestive heart failure: Answering the old question. J Am Coll Cardiol 1991;18:1067–1069.
62 Kaplan JR, Pettersson K, Manuck SB, Olsson G: Role of sympathoadrenal medullary activation in the initiation and progression of atherosclerosis. Circulation 1991;84(suppl VI);VI-23–VI-32.
63 Strauer BE, Mahmoud MA, Bayer F, Bohn J, Motz U: Reversal of left ventricular hypertrophy and improvement of cardiac function in man by nifedipine. Eur Heart J 1984;5(suppl F):53–60.
64 Philips RA, Ardeljan M, Shimabukuro S, Goldman ME, Garbovit DL, Eison HB, Krakoff LR: Normalization of left ventricular mass and associated changes in neurohormones and atrial natriuretic peptide after 1 year of sustained nifedipine therapy for severe hypertension. J Am Coll Cardiol 1991;17:1595–1602.
65 Eisenlohr H, Schmiebusch H, Strauer BE: Regression of mediahypertrophy in hypertensive coronary resistance vessels by antihypertensive therapy (abstract). Circulation 1988;78(suppl II):II-69.
66 Goldstein RE, Boccuzzi SJ, Cruess D, Nattel S, the adverse experience committee, and the Multicenter Diltiazem Postinfarction Research Group: Diltiazem increases late-onset congestive heart failure in postinfarction patients with early reduction in ejection fraction. Circulation 1991;83:52–60.
67 Elkayam U, Amin J, Mehra A, Vasquez J, Weber L, Rahimtoola H: A prospective, randomized, double-blind crossover study to compare the efficacy and safety of chronic nifedipine therapy with that of isosorbide dinitrate and their combination in the treatment of chronic congestive heart failure. Circulation 1990;82:1954–1961.
68 Holland Interuniversity Nifedipine/Metoprolol Trial (HINT) Research Group: Early treatment of unstable angina in coronary care unit: A randomized double-blind placebo-controlled comparison of recurrent ischaemia in patients treated with nifedipine and metoprolol or both. Br Heart J 1986;56:400.
69 Szlachcic J, Tubau JF, Vollmer C, Massie BM: Effect of diltiazem on left ventricular mass and diastolic filling in mild to moderate hypertension. Am J Cardiol 1989;63:198–201.

70 Lichtlen PR, Hugenholtz PG, Rafflenbeul W, Hecker H, Jost S, Deckers JW: Retardation of angiographic progression of coronary artery disease by nifedipine. Results of the International Trial on Antiatherosclerotic Therapy (INTACT). Lancet 1990;335:1109–1113.
71 Waters D, Lesperance J, Francetich M, Causey D, Theroux P, Chiang YK, Hudon G, Lemarbre L, Reitmann M, Joyal M, Gosselin G, Dyrda I, Macer J, Havel R: A controlled trial to assess the effect of a calcium channel blocker on the progression of coronary atherosclerosis. Circulation 1990;80:1940–1953.
72 Gottlieb SO, Brinker JA, Melitts D, et al: Effect of nifedipine on the development of coronary bypass graft stenoses in high-risk patients: A randomized, double-blind, placebo-controlled trial (abstract). Circulation 1989;80(suppl II)228.
73 Powell JS, Clozel JP, Müller RKM, Kuhn H, Hefti F, Hosang M, Baumgartner HR: Inhibitors of angiotensin-converting enzyme prevent myointimal proliferation after vascular injury. Science 1989;245:186–188.
74 Asmar RG, Journo HJ, Lacolley PJ, Santoni JP, Billaud E, Levy BI, Safar ME: Treatment for one year with peridopril: Effect on cardiac mass and arterial compliance in essential hypertension. J Hypertens 1988; 6(suppl 3):S33–S39.
75 Levy BI, Michel JB, Salzmann JL, Azizi M, Poitevin P, Safar M, Camilleri JP: Effects of chronic inhibition of converting enzyme on mechanical and structural properties of arteries in rat renovascular hypertension. Circ Res 1988;63:227–239.
76 Chatterjee K, et al: A cooperative multicenter study of captopril in congestive heart failure. Hemodynamic effects and longterm response. Am Heart J 1985;110:439–447.
77 Francis GS: Neuroendocrine manifestations of congestive heart failure. Am J Cardiol 1988;62:9A-13A.
78 Marmor A, Green T, Krakuer J, Szucs T, Schneeweiss A: A single dose of cilazapril improves diastolic function in hypertensive patients. Am J Med 1989;87:61S–63S.
79 The Consensus Trial Study Group: Effects of enalapril on mortality in severe congestive heart failure. N Engl Med 1987;316:1429–1435.
80 Konstam MA, Rousseau MF, Kronenberg MW, Udelson JE, Melin J, Stewart D, Dolan N, Edens TR, Kinan D, Ahn S, Yusuf S, Pouleur H, for the SOLVD Investigators: Effects of enalapril on the progression of left ventricular dysfunction in heart failure (abstract). Circulation 1991;84(suppl II):30.
81 Kleber FX, Niemöller L, Doering W: ACE inhibition in mild heart failure – Influences of severity of disease on therapeutic efficacy. Am J Cardiol 1991;68:121D–126D.
82 Cohn JN, Johnson G, Ziesche S, Cobb F, Francis G, Tristani F, Smith R, Dunkman WB, Loeb H, Wong M, Bhat G, Goldman S, Fletcher RD, Doherty J, Hughes VC, Carson P, Cintron G, Shabetai R, Haakenson C: A comparison of enalapril with hydralazine-isosorbide dinitrate in the treatment of chronic congestive heart failure. N Engl J Med 1991;325:303–310.
83 Croog SH, et al: The effects of antihypertensive therapy on the quality of life. N Engl J Med 1986;314: 1657–1664.
84 Strauer BE, Bayer F, Brecht HM, Motz W: The influence of sympathetic nervous activity on regression of cardiac hypertrophy. J Hypertens 1985;3(suppl 4):S39–S44.
85 Fouad FM, Nakashima Y, Tarazi RC, Salcedo EE: Reversal of left ventricular hypertrophy in hypertensive patients with methyldopa. Lack of association with blood pressure control. Am J Cardiol 1982;49: 795–801.
86 Drayer JIM, Garding JM, Weber MS, Aronow WS: Cardiac muscle mass during vasodilatation therapy of hypertension. Clin Pharmacol Ther 1983;33:727–732.
87 Jugdutt BI, Tymchak W, Humen D, Gulamhusein S, Hales M: Prolonged nitroglycerin versus captopril therapy on remodeling after transmural myocardial infarction. Circulation 1990;82(suppl III):442.

Cardiology 1993;82(suppl 2):22–28

A. Schneeweiss

Cardiovascular Research
Foundation, Bad Schwalbach,
BRD

Therapieumstellung auf Cilazapril bei Angiotensin-Konversionsenzym-Hemmer-induziertem Husten

Beurteilung des Effekts

Evaluation of the Effect of a Switch to Cilazapril on Cough Induced by Angiotensin-Converting Enzyme Inhibitors

Assessment of the Effects

Schlüsselwörter
Cilazapril
Therapieumstellung
Husten

Zusammenfassung

Wir untersuchten an 35 hypertensiven Patienten den durch eine Umstellung auf den neuen Angiotensin-Konversionsenzym (ACE)-Hemmer Cilazapril möglichen Effekt auf Husten, der durch im Handel erhältliche ACE-Hemmer (Captopril und Enalapril) induziert wurde. Die Patienten wurden in 5 medizinischen Zentren untersucht, randomisiert und erhielten entweder ihren früheren ACE-Hemmer oder Cilazapril während 6 Wochen. Aus logistischen Gründen wurden nur Dosen von täglich 50 mg Captopril oder 10 mg Enalapril verabreicht, ohne Berücksichtigung der früheren Dosis. 35 Patienten wurden randomisiert und 32 beendeten die Studie. Von diesen 32 Patienten erhielten 18 randomisiert Cilazapril und 14 den ACE-Hemmer, den sie schon vor Studienbeginn einnahmen. Die Dosen wurden willkürlich gewählt und nicht titriert, um zwischen den Gruppen eine optimale oder einheitliche Kontrolle des Blutdrucks zu erreichen. Bei 11 Patienten (61%) aud der Cilazaprilgruppe und 6 Patienten (43%), die mit ihrem früheren ACE-Hemmer weiterbehandelt wurden, verschwand gewöhnlich innerhalb von ein paar Tagen bis zu 3 Wochen nach Studienbeginn der Husten vollständig, oder er hatte sich zumindest merklich gebessert. Die Tendenz zu besseren Resultaten in der Cilazaprilgruppe war statistisch nicht signifikant, wahrscheinlich wegen der kleinen Patientenzahl. Aus unseren Ergebnissen lässt sich folgendes schliessen: 1) ACE-Hemmer-induzierter Husten kann durch eine Umstellung auf Cilazapril bei mehr als 60% der Patienten vollständig unter Kontrolle gebracht oder zumindest geschwächt werden; 2) die Besserungen stellen sich gewöhnlich ein paar Tage bis Wochen nach Beginn der Cilazapriltherapie ein, und 3) die Therapieumstellung von einem bisher verwendeten ACE-Hemmer oder sogar ein «Placebo»-Effekt der Studie an sich kann in vielen Patienten den Husten unterdrücken. Eine Bestätigung dieser Ergebnisse durch eine grössere Studie als die unsrige, die in Patientenzahl und Zeitspanne limitiert war, kann eine mögliche Lösung zum Problem von ACE-Hemmer-induziertem Husten bringen.

A. Schneeweiss, MD
Sauerberg 12
D-W-6208 Bad Schwalbach 7 (BRD)

Einleitung

Husten ist eine sehr störende Nebenerscheinung von Angiotensin-Konversionsenzym (ACE) -Hemmern [1–7]. Er findet sich in bis zu 20% der Patienten, in den meisten Fällen ohne einen anderen ersichtlichen Grund. Er geht gewöhnlich mit einem Reizgefühl im Rachen einher und ist häufiger bei Frauen beobachtet worden [8–11]. Anhaltender oder schwerer durch ACE-Hemmer verursachter Husten ist im allgemeinen eine Indikation dafür, die Therapie mit diesen Substanzen abzubrechen [1]. Dies bringt natürlich mit sich, dass vielen Patienten auch die Vorteile der ACE-Hemmer vorenthalten werden.

Wahrscheinlich stellt der Husten ein grösseres Hemmnis für einen weitverbreiteten Einsatz dieser sonst für so sehr sicher und gut verträglich gehaltene Substanzklasse der ACE-Hemmer dar. Obwohl die absolute Häufigkeit dieser Nebenwirkung diskussionswürdig erscheint, ist sie dennoch quantitativ signifikant. Weil über einen eventuell auftretenden Husten keine sichere Voraussage gemacht werden kann, steht der Arzt – nicht selten – einer Situation gegenüber, in der er die ACE-Hemmer-Therapie trotz erwiesener Wirksamkeit wegen dieser Nebenwirkung abbrechen muss.

Dieses Problem hat Anlass zu ganz intensiven Überlegungen gegeben, andere Methoden zu entwickeln, wie das Renin-Angiotensin-System zu hemmen ist. Sie waren von der Erwartung getragen, dass solche Möglichkeiten dann nicht mit Husten verbunden sind. Eine vielversprechende Richtung wäre ein Angiotensin-Rezeptorantagonist. Aber bis es zu einem klinischen Einsatz solcher Substanzen kommen kann, ist noch ein sehr weiter Weg zu gehen. Deshalb ist es vorteilhafter zu versuchen, den Husten – wenn auch nur teilweise – mit dem schon zur Verfügung stehenden Armamentarium in den Griff zu bekommen.

Trotz des allgemein üblichen Trends, eine ACE-Hemmer-Therapie abzubrechen, sobald sich ein andauernder und störender Husten einstellt, gibt es einige Hinweise, dass eine Umstellung von einem ACE-Hemmer auf einen anderen zumindest eine vorübergehende Erleichterung bewirken kann. Dies ist jedoch bislang durch kontrollierte Untersuchungen noch nicht bestätigt worden.

Weil wir die Tatsache akzeptieren, dass es sich bei dem ACE-Hemmer-induzierten Husten um einen Gruppeneffekt dieser Substanzen handelt, glauben wir nicht, dass der Wechsel von einem ACE-Hemmer zu einem anderen Husten vollständig eliminieren kann. Erfahrungen, die einige von uns aus unkontrollierten Untersuchungen gemacht haben, zeigen jedoch, dass geringe Unterschiede im individuellen Ansprechen auf verschiedene ACE-Hemmer dafür ausgenützt werden können, um durch Umstellung von einem ACE-Hemmer auf einen anderen eine gewisse Erleichterung des Hustens zu erlangen. Der Zweck dieser Publikation besteht darin, einen Ergebnisbericht unserer ersten Studie über diese Zusammenhänge mit dem neuen ACE-Hemmer Cilazapril vorzustellen.

Material und Methoden

Patienten

Nach und nach wurden 35 hypertensive Patienten, die unter der Therapie mit Captopril oder Enalapril Husten bekamen, in die Studie aufgenommen. Sie wurden in fünf medizinischen Zentren untersucht. Es wurden nur solche Patienten in die Studie eingeschlossen, die tatsächlich bei Beginn Husten hatten. Alle Patienten nahmen den ACE-Hemmer weiter, den sie auch vor der Studie genommen hatten. Ausschlusskriterien waren instabile Angina, zerebrovaskuläre Erkrankungen, schwere Arrhythmien, Überempfindlichkeiten oder Allergien, klinisch signifikante stoffwechselspezifische oder endokrine Erkrankungen, Autoimmunerkrankungen, hämodynamisch signifikante kardiale Arrhythmien, Kontraindikationen gegen ACE-

Hemmer und andere schwere Begleiterkrankungen. Alle Patienten gaben eine schriftliche Einverständniserklärung ab. Die Studie war durch IRBs der teilnehmenden Zentren genehmigt.

Methoden

Vor Studienbeginn unterzogen sich die Patienten einer klinischen Untersuchung, und Routinelabortests wurden vorgenommen. Sie nahmen ihren zuvor eingenommenen ACE-Hemmer bis zum Studienbeginn weiter. Am ersten Studientag wurden sie randomisiert und einfachblind auf die Studienmedikation umgestellt, die entweder aus Cilazapril bestand oder dem ACE-Hemmer, den sie zuvor schon erhalten hatten, d.h. Captopril oder Enalapril. Für die Patienten, die Captopril oder Enalapril nahmen, wurden randomisierte Packungen getrennt vorbereitet. Aus logistischen Gründen wurde für jede Substanz nur eine einzige Dosierung vorgesehen. Aus diesem Grund erhielten die meisten nicht dieselbe Dosis, die sie einnahmen, als der Husten sich einstellte.

Die Patienten, die zuvor mit Captopril behandelt wurden, erhielten, ohne Berücksichtigung der Dosis, randomisiert entweder zweimal täglich 25 mg Captopril oder 5 mg Cilazapril morgens und ein entsprechendes Plazebo abends. Die Patienten, die mit Enalapril behandelt worden waren, erhielten randomisiert entweder einmal pro Tag 10 mg Enalapril oder 5 mg Cilazapril. Sie nahmen diese Dosis 6 Wochen lang ein.

Die Patienten wurden gebeten, in der Woche vor der Studie sowie während der ganzen Untersuchung ihren eventuell auftretenden Husten und seine Schwere täglich zu notieren. Die Patienten, die auf Cilazapril umgestellt worden waren, wurden mit denen verglichen, die ihren früheren ACE-Hemmer, Captopril oder Enalapril, weiternahmen. Die statistische Signifikanz der Ergebnisse wurde mit dem t-Test bestimmt.

Ergebnisse

35 Patienten wurden in die Studie aufgenommen. Es waren 12 Männer und 23 Frauen im Alter von 26 bis 76 Jahren. Alle Patienten hatten eine essentielle Hypertonie, die mit Captopril oder Enalapril allein oder in Kombination mit anderen kardioaktiven Substanzen behandelt wurde. 32 Patienten beendeten die Studie; 18 von der Gruppe, die Cilazapril erhielt, und 14 aus der Gruppe, die mit dem ACE-Hemmer weiterbehandelt wurden, den sie schon vor Studienbeginn einnahmen. Bei 11 der 18 Patienten aus der Cilazaprilgruppe (61%) und 6 der 14 Patienten, die mit «ihrem» ACE-Hemmer weiterbehandelt wurden (43%), verschwand innerhalb von ein paar Tagen bis zu 3 Wochen nach Studienbeginn der Husten vollständig, oder er war zumindest merklich gebessert. Bei den 6 Patienten, die Captopril oder Enalapril einnahmen, kam es ausschliesslich bei einem Patienten durch die niedrigere Dosierung zu dieser Besserung. Bei 3 Patienten wurde der Husten ohne Veränderung der Dosis leichter; der gleiche Erfolg zeigte sich bei 2 Patienten, obwohl bei diesen die Dosis erhöht wurde. Von diesen beiden Patienten erhielt einer Captopril und der andere Enalapril. Der Unterschied zwischen den beiden Gruppen war statistisch nicht signifikant.

Innerhalb der ersten 8 Tage nach Therapieumstellung gab es bereits die ersten frühen Therapieabbrüche. Es handelte sich um einen Patienten, der nach Therapiewechsel zu Cilazapril Schwindelgefühl bekam; einen weiteren, der Enalapril weiter einnahm und nach 3 Tagen eine Photophobie entwickelte, obwohl seine Studiendosis unter der lag, die er zuvor erhalten hatte. Es ist ganz sicher, dass diese Nebenwirkung mit der Therapie nichts zu tun hatte. Der dritte Patient, der Cilazapril bekam, schied aus der Studie wegen mangelnder Compliance aus.

Diskussion

Aus unseren Ergebnissen lassen sich zwei mögliche Wege erkennen, wie ACE-Hemmer-induzierter Husten unterdrückt oder erleichtert werden kann: 1) Therapieumstellung auf den neuen ACE-Hemmer Cilazapril; 2) Änderung des Regimes oder der Dosis des ACE-Hemmers, den die Patienten vor der Studie auch erhalten hatten. Die Ergebnisse weisen nicht notwendigerweise darauf hin, dass es unter Cilazapril zu weniger Husten als unter anderen ACE-Hemmern kommt, aber sie mache die positive Auswirkung einer Therapieumstellung deutlich, wenn es darum geht, eine Verbesserung hinsichtlich dieser Nebenwirkung zu erreichen. Darüber hinaus lässt auch die nur begrenzte Patientenzahl keine statistisch signifikanten Schlussfolgerungen zu. Die Tatsache, dass Husten sogar bei den Patienten aufhört, dere ACE-Hemmer-Dosis während der Studie gegenüber der zuvor eingenommenen Dosis noch gesteigert wurde, ist ein deutlicher Anhaltspunkt, dass mit ACE-Hemmer-induziertem Husten ein starker «Plazeboeffekt» verbunden ist.

Zeitspanne bis zum Verschwinden des Hustens

Bei unseren Patienten lag die Zeit bis zum völligen oder teilweisen Verschwinden des Hustens zwischen einigen Tagen bis zu 2–3 Wochen. Diese Zeitdauer entspricht in etwa der, die auch dann berichtet wird, wenn nach Therapieunterbrechung mit dem hustenverursachenden ACE-Hemmer der Husten aufhört oder sich bessert [12]. Husten hört meist nach und nach (ein paar Tage bis zu 2 Wochen nach Absetzen des ACE-Hemmers) auf. Dieser vergleichbare Ablauf kann als Hinweis gelten, dass eine Therapieumstellung auf Cilazapril oder auch eine Dosissenkung eines anderen ACE-Hemmers auf einem ähnlichen Mechanismus wie eine Therapieunterbrechung dieser Substanzen beruht.

Klinische Signifikanz von ACE-Hemmer-induziertem Husten

Ein ACE-Hemmer-induzierter Husten stellt aus folgenden Gründen ein grösseres klinisches Problem dar: 1) die grosse Häufigkeit, die bis zu 20% der behandelten Patienten oder noch mehr (unsere noch nicht publizierten Daten) betrifft; 2) schwerer und persistierender Husten ist der häufigste Grund für einen Abbruch der ACE-Hemmer-Therapie. Es wurde festgestellt, dass die Patienten nur dann von ihrem Husten befreit werden, wenn die ACE-Hemmer-Therapie unterbrochen wird [4]; 3) wenn es versäumt wird, den Husten mit einer Einnahme von ACE-Hemmern in Beziehung zu bringen, können unnötige Untersuchungen die Folge sein, die manchmal sogar bis zu einer fiberoptischen Bronchoskopie gehen können; 4) bei Patienten mit Herzinsuffizienz kann Husten auch als ein Anzeichen für eine klinische Verschlechterung angesehen werden. In solchen Fällen ist es wohl besser, die ACE-Hemmer abzusetzen, obwohl sie tatsächlich einen nützlichen Effekt erbringen. Einer der Gründe, warum unsere Kenntnis über das Verhalten von ACE-Hemmer-induziertem Husten immer noch so gering ist, ist auch darin zu sehen, dass in der Praxis bei den Patienten, die Husten bekommen, die Therapie abgebrochen wird. Solches Vorgehen ist entmutigend, wenn man sich vor Augen führt, dass Husten ein Gruppeneffekt der ACE-Hemmer ist.

Ist es möglich, Patienten weiterhin mit ACE-Hemmern zu behandeln, auch wenn sie auf Substanzen dieser Klasse Husten bekommen?

Es wird verschiedentlich behauptet, dass eine Erleichterung des anhaltenden und schweren ACE-Hemmer-induzierten Hustens nur dadurch erreicht werden kann, dass man diese Substanzen absetzt [1, 4, 10]. Manche Untersuchergruppen haben vermutet, dass durch eine Umstellung auf einen anderen ACE-Hemmer eine Besserung zu erzielen ist, trotz der Tatsache, dass es sich bei Husten um einen Klasseneffekt dieser Substanzen handelt. Es ist auch vorgeschlagen worden, die

Dosis zu senken, um eine Linderung zu erreichen. Aber es gibt keine kontrollierten klinischen Studien, die dies unterstützen könnten.

Unsere Ergebnisse werden teilweise auch von anderen insofern bestätigt, als auch sie der Meinung sind, dass es trotz des Klasseneffektes zwischen den verschiedenen ACE-Hemmern individuelle Unterschiede gibt. Beispielsweise berichteten Ogihara et al. [13] über einen geringeren hustenstimulierenden Effekt des neuen ACE-Hemmers Delapril als von Captopril und Enalapril. Fogari et al. [14] berichteten, dass Lisinopril, nicht aber Quinapril, im Vergleich mit Captopril mehr Husten verursachte. Es bestehen auch pharmakodynamische Unterschiede zwischen den verschiedenen ACE-Hemmern [15].

Diese Ergebnisse unterstreichen unsere Befunde, dass eine Therapieumstellung von einem ACE-Hemmer auf einen anderen viele Patienten von ihrem Husten befreien kann, und das, obwohl Husten ein Klasseneffekt dieser Substanzen ist.

Man muss aber auch betonen, dass ein Wechsel zu Cilazapril weder die einzige noch die absolute Lösung für den ACE-Hemmer-induzierten Husten darstellt. In unserer Studie gab es einige Patienten, bei denen der Husten unter der Einnahme von Enalapril oder Captopril aufhörte, obwohl die Dosis in der Studie der zuvor eingenommenen ähnlich war. Bei 2 Patienten hörte der Husten auf, obwohl iher Captopril- und Enalaprildosen noch gesteigert wurden. Auch unter Cilazapril ist mit Husten zu rechnen. Die durch Cilazapril induzierte Hustenhäufigkeit wurde mit 1.6% angegeben [16], was sich nicht wesentlich unterscheidet von den Angaben aus grossen Untersuchungsreihen mit Patienten, die mit anderen ACE-Hemmern behandelt wurden. Die Tatsache, dass manche Patienten keinen Husten mehr haben, wenn sie auf Cilazapril umgestellt werden, heisst nicht zwangsläufig auch, dass sie auch weiterhin ohne Husten bleiben, wenn sie eine Langzeittherapie mit dieser Substanz erhalten.

Welcher Mechanismus führt zum Verschwinden des Hustens?

Wie der ACE-Hemmer-induzierte Husten zustande kommt, ist nicht bekannt, und insofern ist auch der Mechanismus seines Verschwindens nicht geklärt. Es gibt mehrere Theorien darüber. 1) ACE ist mit der Kininase II identisch, einem Enzym, das Bradykinin abbaut. Deshalb ist eine Neigung zu Husten mit dem Bradykininstoffwechsel in Verbindung gebracht worden [17]. Dies wird durch die Befunde gestützt, dass die Quaddelbildung nach subkutaner Bradykinininjektion durch ACE-Hemmer verstärkt wird [18, 19]. Weiterhin sind bestimmte ACE-Hemmer in der Lage, ein angioneurotisches Ödem auszulösen, wofür Bradykinin möglicherweise ein Bindeglied darstellt. Bei Patienten mit hyperreaktiven Atemwegen verursacht Bradykinin eine Bronchokonstriktion [20]. Bei Patienten, die unter einer ACE-Hemmer-Therapie Husten bekommen, konnte erst kürzlich eine bronchiale Hyperreagibilität nachgewiesen werden.

Es ist keineswegs geklärt, auf welche Weise eine Bradykininakkumulation den trockenen, für ACE-Hemmer charakteristischen Husten verursacht. Es ist postuliert worden, dass Bradykinin die C-Faser-afferenten Nerven anregt und hierdurch über einen Axonreflex eine Bronchokonstriktion nach sich zieht [21].

Die Relevanz dieser Befunde für unsere Ergebnisse ist nicht bekannt. Ein Schlüssel liegt möglicherweise in der Studie von Andersson et al. [22], die besagt, dass Enalapril entzündungsfördernde Eigenschaften besitzt, Cilazapril dagegen nicht. Diese Ergebnisse lassen auf qualitative Unterschiede zwischen den beiden ACE-Hemmern schliessen, was den mit Husten zusammenhängenden Mechanismus betrifft (obwohl es keinen Beweis für diese Beziehungen gibt).

Ebenso oder vielleicht sogar noch wichtiger ist ein Plazeboeffekt der Studie an sich. Das Verschwinden des Hustens bei einigen Patienten, die bei ihrem auch zuvor genommenen ACE-Hemmer weiter blieben, bestärkt diese Sicht. ACE-Hemmer-induzierter Husten wird umso häufiger bemerkt, je mehr man daraufhin anspricht. Offensichtlich spielen das Studiendesign sowie Interaktionen zwischen Patienten und untersuchendem Arzt keine unbeträchtliche Rolle.

Grenzen der Studie

1. Eine umfangreiche Einschränkung ist durch die in dieser Studie eingesetzten fixen Dosisregimes gegeben, die durch logistische Probleme diktiert wurden. Deswegen erhielten die Patienten nicht die gleiche Dosierung und/oder das Regime für Enalapril oder Captopril, wie vor der Studie. Hierdurch wurden möglicherweise die Ergebnisse beeinflusst. Es wäre sicherlich vorteilhafter gewesen, die einzelnen Dosierungen zu individualisieren, so dass jeder Patient, der im Randomisierungsverfahren seinen bereits zuvor genommenen ACE-Hemmer weiter erhielt, auch genau die Dosis bekommen hätte, die er auch vorher einnahm.

2. Die Blutdruckkontrolle wurde keinem Vergleich unterzogen, und es wurde auch keine Dosistitration vorgenommen, um einen maximalen Effekt zu erreichen. Es ist gut möglich, dass die Therapieumstellung auf Cilazapril oder eine veränderte Dosis der anderen ACE-Hemmer den Husten verdrängte auf Kosten einer unzureichenden Blutdruckkontrolle. Wir sind gerade dabei, eine weitere Studie vorzubereiten, die diese Frage beantworten soll. Darüber hinaus ist es auch nicht möglich, die Wirksamkeit zweier Regimes, was das Aufhören des Hustens betrifft, zu vergleichen, ohne gleichzeitig das primäre Ziel einer ACE-Hemmer-Therapie, nämlich die Blutdrucksenkung, gegenüberzustellen.

3. Unsere Ergebnisse basieren auf der Analyse einer relativ kleinen Fallzahl, die nur über eine kurze Zeitspanne beobachtet wurde. Für definitive klinische Empfehlungen sollten Ergebnisse aus grösseren klinischen Studien, in denen die Patienten über längere Zeit eine Therapie erhalten, abgewartet werden.

Männer/Frauen-Verhältnis

Unter unseren 35 Patienten waren 12 Männer und 23 Frauen. Da in unsere Untersuchungsreihe nach und nach alle Patienten eingeschlossen wurden, die über einen bestimmten Zeitraum einen ACE-Hemmer-induzierten Husten hatten, kann man ihn als repräsentativ für diese klinische Situation betrachten. Bekannt ist, dass er bei Frauen häufiger auftritt; das Verhältnis von nahezu 2 zu 1 bewegt sich im Rahmen von früheren Berichten.

Schlussfolgerung

Aus unseren Ergebnissen lässt sich schliessen, dass ACE-Hemmer-induzierter Husten bei vielen Patienten teilweise oder sogar vollständig dadurch unter Kontrolle gebracht werden kann, indem sie auf Cilazapril umgestellt oder mit geänderter Dosis bzw. Regime des zuvor eingenommenen ACE-Hemmers weiterbehandelt werden. Der Effekt zeigt sich bereits nach ein paar Tagen bis zu Wochen.

Literatur

1 Yeo WW, Ramsay LE: Persistent dry cough with enalapril: Incidence depends on method used. J Hum Hypertens 1990;4:517–520.

2 Irvin JD, Viau JM: Safety profiles of the angiotensin converting enzyme inhibitors captopril and enalapril. Am J Med 1986;82(suppl 4C):46–50.

3 Inman WHW, Rawson NSB, Wilson LV, Pearce GL, Speirs CJ: Postmarketing surveillance of enalapril: I. Results of prescription-even monitoring. BMJ 1988;297:826–829.

4 Sebastian JL, McKinney WP, Kaufman J, Youn MJ: Angiotensin converting enzyme inhibitors and cough. Chest 1991;99:36–39.

5 Woo J, Woo SK, Kin T, Vallance-Owen J: A single-blind, randomized, cross-over study of angiotensin-converting enzyme inhibitor and triamterene and hydrochlorothiazide in the treatment of mild to moderate hypertension in the elderly. Arch Intern Med 1987;147:1386–1389.

6 Andersson RGG, Karlberg BE, Lindgren BR: Cough and other bronchial symptoms and skin disorders during treatment with ACE-inhibitors (in Swedish): Läkartidningen 1987;84:183–184.

7 Crombie A, Manson P, McVey D, Smith MW, Smeeton VJ, Somerton DT: Once daily enalapril in general practice patients with mild to moderate essential hypertension. NZ Med J 1986;99:503–504.

8 Stoller JK, Elghazawi A, Mehta AC, Vidt DG: Captopril-induced cough. Chest 1988;93:659–661.

9 Coulter DM, Edwards IR: Cough associated with captopril and enalapril. Br Med J 1987;294:1521–1523.

10 Gibson GR: Enalapril-induced cough. Arch Intern Med 1989;149: 2703–2710.

11 Kaufman J, Casanova JE, Riendl P, Schlueter DP: Bronchial hyperactivity and cough due to angiotensin-converting enzyme inhibitors. Chest 1989;95:544–548.

12 Paran E: Cough and angiotensin converting enzyme inhibition. Harefuah 1990.

13 Ogihara T, Mikami H, Katahira K, Otsuka A: Comparative study of the effects of three angiotensin converting enzyme inhibitors on the cough reflex. Am J Hypertens 1991;4(1-II):465–515.

14 Fogari R, Zoppi A, Malamani GD, Corradi L, Tettamanti F, Poletti L, Cattaneo G, Mugellini A, Tinelli G, Marasi G: Effects of captopril, quinapril and lisinopril on cough intensity in hypertensive patients suffering from cough induced by ACEI-inhibitors (abstract). Eur Heart J 1991;12:128.

15 MacFadyen RJ, Lees KR, Reid JC: Differences in first dose response to ACEI in CHF: A placebo controlled study. Br Heart J 1991;66:206–211.

16 Szucs T, Schneeweiss A: Cilazapril: An overview of its efficacy and safety in hypertension. Cardiology 1992;80:34–41.

17 Semple PF, Herd GW: Cough and wheeze caused by inhibition of angiotensin converting enzyme. N Engl J Med 1986;314:61.

18 Fuller RW, Warren JB, McCusker M, Dollery CT: Effect of enalapril on the skin response to bradykinin in man. Br J Clin Pharmacol 1987; 23:88–90.

19 Ferner RE, Simpson JM, Rawins MD: Effects of intradermal bradykinin after inhibition of angiotensin converting enzyme. Br Med J 1987; 2:88–90.

20 Bucknall C, Neilly JB, Carter R, Stevenson RD, Semple PF: Bronchial hyperactivity in patients who cough after receiving angiotensin converting enzyme inhibitors. Br Med J 1988;296:86–88.

21 Barnes PJ: Asthma as an axon reflex. Lancet 1986;i:242–245.

22 Andersson RGG, Karlberg BE, Lindgren BR, Persson K, Rosenqvist U: Enalaprilat, but not cilazaprilat, increases inflammatory skin reactions in guinea pigs. Drugs 1991;41:(suppl 1):40–45.

Cardiology 1993;82(suppl 2):29–31

A.T. Marmor[a]
G. Rettig-Stürmer[b]

[a] Cardiology Department, Rebecca Sieff Hospital, Safed, Israel;
[b] Medizinische Klinik, Klinik Sulzbach der Bundesknappschaft, Akademisches Lehrkrankenhaus der Universität des Saarlandes, Sulzbach/Saar, BRD

Antiischämische Effekte von Cilazapril bei hypertensiven Patienten, bei denen gleichzeitig eine Angina pectoris vorliegt

Vorläufiger Bericht einer Pilotstudie

Anti-Ischemic Effects of Cilazapril in Hypertensive Patients with Angina pectoris Simultaneoulsy: Preliminary Report of a Pilot Study

Schlüsselwörter
Cilazapril
ACE-Inhibitoren
Belastungstest
Angina pectoris
Hypertonie

Zusammenfassung
Wir berichten über vorläufige Ergebnisse der ersten 12 Patienten, die in eine doppelblinde, randomisierte plazebokontrollierte Studie aufgenommen wurden, in der der antianginöse Effekt des neuen Angiotensin-Konversionsenzym-Hemmers Cilazapril (2,5 mg einmal pro Tag) an Patienten untersucht wurde, die sowohl an Hypertonie als auch an Angina pectoris litten. Nach 3 Wochen Therapie zeigte sich unter Plazebo keine Wirkung, während aber durch Cilazapril die Belastungsdauer signifikant verlängert wurde. Bei 2 Cilazaprilpatienten wurde die Belastungszeit sehr stark von 387 auf 534 und von 352 auf 556 s verlängert. Die maximale ST-Streckensenkung blieb unverändert. Es bestehen Hinweise darauf, dass Cilazapril bei bestimmten Hypertonikern mit Angina pectoris einen antianginösen Effekt zeigen könnte. Eine grössere Studie wird jetzt begonnen.

Einleitung

Beinahe alle kontrollierten Studien, die die Evaluierung einer antianginösen und antihypertensiven Therapie zum Ziel haben, sind immer nur in ganz abgegrenztem Rahmen durchgeführt worden. Dennoch besteht häufig eine Überschneidung zwischen beiden Therapieformen [1–3]. In einer Pilotstudie wurde die Wirkung der Monotherapie mit

A. Schneeweiss, MD
Sauerberg 12
D-W-6208 Bad Schwalbach 7 (BRD)

dem neuen Angiotensin-Konversionsenzym (ACE)-Hemmer Cilazapril auf die Angina von Patienten beurteilt, bei denen Hypertonie und Angina pectoris diagnostiziert wurden. Diese Mitteilung hat zum Ziel, zusammengefasst über die ersten 12 Patienten zu berichten, die diese Pilotstudie beendet haben.

Patienten und Methodik

12 Patienten mit essentieller Hypertonie (diastolischer Blutdruck im Sitzen 95–115 mm Hg) wurden in die Untersuchungen einbezogen. Es handelte sich um 9 Männer und 3 Frauen im mittleren Alter von 60 ± 6,7 Jahren. Alle hatten gesichert eine koronare Herzkrankheit (1); und (2) eine chronisch stabile Angina pectoris. Am Morgen des letzten Tages einer 1wöchigen Washout-Periode wurden eine klinische Untersuchung und ein Laufbandbelastungstest durchgeführt. Dann erhielten die Patienten randomisiert entweder 1mal pro Tag 2,5 mg Cilazapril oral oder ein entsprechendes Placebo. Sie wurden nach einer 2- bis 3wöchigen Behandlung zweimal für eine klinische Untersuchung sowie einen Laufbandbelastungstest (Bruce-Protokoll) einbestellt. Während der Studie war zur Behandlung der Angina pectoris nur sublinguales Nitroglycerin erlaubt.

Ergebnisse

6 Patienten in der Placebo- und 5 in der Cilazaprilgruppe brachten die Studie zu Ende. Bei einem Patienten der Cilazaprilgruppe wurde die Studie abgebrochen: sein Blutdruck stieg auf 220/110 mm Hg an. Placebo hatte keine signifkante Wirkung. Durch Cilazapril wurde bei allen 5 Patienten, die die Studie bis zum Ende durchführten, der Blutdruck kontrolliert und die Belastungszeit signifikant von 301 ± 32 auf 395 ± 43 s ($p < 0.05$) verlängert, während durch Placebo keine signifikante Wirkung erzielt wurde. Die ST-Senkung blieb in jeder Gruppe auch unter maximaler Belastung unverändert.

Bei 2 Patienten der Cilazaprilgruppe stellte sich eine sehr deutlich verlängerte Belastungsdauer von 387 auf 534 und von 352 auf 556 s ein. Diese ausgeprägten Anstiege blieben über die gesamte Studiendauer bestehen.

Diskussion

Unsere Ergebnisse weisen darauf hin, dass mit dem ACE-Hemmer Cilazapril, einer Substanz, die in erster Linie zur Blutdrucksenkung eingesetzt wird, bei bestimmten Patienten mit Hypertonie und Angina pectoris ein antianginöser Effekt erreicht werden kann, der durch einen Anstieg der Belastungstoleranz in Erscheinung tritt. Es gibt kaum Studien, die bei ein und demselben Patienten den Einfluss von Substanzen auf Angina und Hypertonie oder Substanzen, die bei einer Myokardischämie primär antihypertensiv wirken, untersuchten.

An normotensiven Patienten wurde erst kürzlich der Effekt von ACE-Hemmern auf eine Myokardischämie untersucht. Gibbs et al. [4] verglichen bei 12 solchen Patienten den Einfluss von Enalapril und Placebo, die jeweils 2 Wochen lang verabreicht wurden. Vier von diesen Patienten erreichten durch die Therapie eine Verlängerung der gesamten Belastungszeit von 20% oder mehr. Andererseits entwickelten 2 von diesen Patienten unter Belastung noch früher eine Ischämie und erfuhren somit eine Einschränkung ihrer gesamten Belastungsdauer. Ihr Blutdruck während der Belastung unterschied sich nicht von dem der Patienten, die eine Besserung erfuhren. Aus diesen Ergebnissen wurde der Schluss gezogen, dass Enalapril eine Myokardischämie unterschiedlich beeinflusst.

Obwohl die Blutdrucksenkung den wesentlichen Mechanismus der antiischämischen Aktivität der ACE-Hemmer darstellt, gibt es weitere Faktoren, die dies auch fördern. Da als Reaktion auf den blutdrucksenkenden Effekt durch ACE-Hemmer keine Beschleunigung der Herzfrequenz auftritt, trägt dies mit dazu bei, den myokardialen Sauerstoffbedarf herabzusetzen. Darüber hinaus sind ACE-Hemmer in der Lage, den koronaren Blutfluss zu steigern. Sie scheinen sich in geringem Masse gefässerweiternd auf die Koronarien auszuwirken [5, 6]. Ihr Einfluss insgesamt auf das Verhältnis myokardiales(r) Sauerstoffangebot/Sauerstoffbedarf ist günstiger als der anderer nicht nitrathaltiger Vasodilatatoren [6, 7]. ACE-Hemmer wirken auf die grossen Koronarien ein, aber nicht auf die koronaren Widerstandsgefässe. Sie verändern weder die Autoregulation, noch verursachen sie ein koronares Steal-Syndrom. Deshalb ist ihre Verträglichkeit bei Patienten mit koronarer Herzkrankheit besonders gut.

Eine übermässige Senkung des koronaren Perfusionsdrucks kann eine paradoxe Angina hervorrufen [8]. Deshalb können die Ergebnisse durchaus nachteilig sein, auch wenn man zunächst sehr dazu neigen würde, normotensiven Patienten den potentiellen antiischämischen Effekt von ACE-Hemmern zugute kommen zu lassen.

Zusammenfassend lässt sich sagen, dass Cilazapril bei bestimmten Patienten mit Hypertonie und Angina pectoris einen antianginösen Effekt zu bewirken scheint. Die kleine hier untersuchte Patientenzahl fordert natürlich extreme Vorsicht bei der Interpretation der Ergebnisse. Im Anschluss daran folgen weitere klinische Studien.

Literatur

1 Valter W: Myocardial oxygen consumption under the influence of nifedipine (Adalat) in the anesthetized dog; in Lochner W, Kronenberg G (Hrsg): New Therapy of Ischemic Heart Disease. Berlin, Springer, 1975, pp 77–82.

2 Kellett MA: The effect of verapamil on coronary and systemic hemodynamics in patients with coronary heart disease. Am J Cardiol 1982; 49:896–900.

3 Smith HJ, Goldstein RA, Griffith JM, Epstein SE: Regional contractility: Selevtive depression of ischemic myocardium by verapamil. Circulation 1976;54:629–635.

4 Gibbs JSR, Crean PA, Mockus L, Sutton GC, Fox KM: The variable effects of angiotensin converting enzyme inhibition on myocardial ischaemia in chronic stable angina (abstract 417). Eur Heart J 1989; 10(suppl):iii–v.

5 Halperin JL, Faxon DP, Creager MA, et al: Coronary hemodynamic effects of angiotensin inhibition by captopril and tetrapeptide in patients with congestive heart failure. Am J Cardiol 1982;50:967–972.

6 Rouleau JL, Chatterjee K, Benge W, et al: Alterations in left ventricular function and coronary hemodynamics with captopril, hydralazine and prazosin in chronic ischemic heart failure. A comparative study. Circulation 1982;65:671–678.

7 Mettauer R, Rouleau JL, Daly P: The effect of captopril on the coronary circulation and myocardial metabolism of patients with coronary artery disease. Postgrad Med J 1986; 62(suppl 1):54–58.

8 Subramanian VB: Rationale for the choice of calcium antagonists in chronic stable angina. An objective double-blind placebo-controlled comparison of nifedipine and verapamil. Am J Cardiol 1982;50:1173–1178.

Cardiology 1993;82(suppl 2):32–42

A. Marmor[a]
A. Schneeweiss[b]

[a] Heart Institute, Rebecca Sieff Medical Center, Safed, Israel;
[b] Cardiovascular Research Foundation, Bad Schwalbach, BRD

Änderungen der linksventrikulären Masse, der Wandspannung und der linksatrialen Füllung während der antihypertensiven Langzeittherapie

Eine Vergleichsstudie mit Cilazapril und einem Thiaziddiuretikum

Changes in Left Ventricular Mass, Wall Stress and Left Atrial Filling during Long-Term Antihypertensive Therapy

A Comparative Study between Cilazapril and Thiazide Diuretics

Schlüsselwörter
Cilazapril
LVM

Zusammenfassung

Wir untersuchten an 30 Patienten (am Tag 0 der Untersuchung und nach 10wöchiger Behandlung) die Wirkung eines neuen Angiotensin-Konversionsenzym-Hemmers, Cilazapril, und eines Thiaziddiuretikums auf die diastolische Funktion, die linksatriale Füllung und die linksventrikuläre Hypertrophie mittels Radionuklidventrikulographie und Echokardiographie. Die Studie wurde doppelblind durchgeführt und die Patienten randomisiert zwei Medikationsgruppen mit je 15 Patienten zugeteilt. Erwartungsgemäss wurde mit beiden Medikamenten nach 10wöchiger Behandlung eine signifikante Senkung des Blutdrucks beobachtet, und zwar mit Cilazapril von 176/109 auf 144/83 mm Hg, $p < 0,05$, und mit dem Thiazid von 167/105 auf 151/87 mm Hg, $p < 0,05$. Der linksventrikuläre Massenindex verringerte sich in der Cilazaprilgruppe um 15% (nicht signifikant), während er sich in der Thiazidgruppe nicht änderte. Die linksventrikuläre meridionale Wandspannung nahm in der Cilazaprilgruppe von 292 ± 31 auf 241 ± 23 dyn/cm^2 ($p < 0,01$) und in der Thiazidgruppe von 277 ± 15 auf 251 ± 16 dyn/cm^2 ($p < 0,01$) ab. Die systolische Funktion, ausgedrückt durch die globale linksventrikuläre Auswurffraktion, erfuhr in beiden Gruppen praktisch keine Veränderung. Cilazapril verbesserte die diastolische Funktion signifikant und bewirkte einen Anstieg der normalisierten maximalen Füllungsrate, sowohl akut als auch chronisch, von 2,37 ± 0,7 auf 2,88 ± 0,5 vol/s, $p < 0,02$, sowie eine Verkürzung der Zeit bis zur maximalen Füllungsrate (von 169 ± 31 auf 144 ± 24 s) und des prozentualen Zeitanteils bis zur maximalen Füllungsrate an der gesamten Diastole (von 33 bis 28%). Diesem Ergebnis steht gegenüber, dass es in der Thiazdigruppe nach 10wöchiger Behandlung zu keiner Verbesserung der diastolischen Funktion kam. Die linksatriale Füllung war in der Cilazaprilgruppe höher als in der Thiazidgruppe (55,3 ± 7 vs. 47,8 ± 8 Impulse); dies lässt den Schluss zu, dass der unterschiedliche Effekt der beiden Medikamente auf die Vorlast eine Rolle spielt und die linksventrikulären Füllungsparameter beeinflusst. Nach 10wöchiger Behandlung zeigte die linksatriale Leerungsrate in der Cilazaprilgruppe eine signifikante Verbesserung, in Übereinstimmung mit der verbesserten linksventrikulären Füllung. Eine enge Korrelation ergab sich zwischen der Beeinträchtigung der diastolischen Funktion und der Vergrösserung der linksventrikulären Masse, während die Wandspannung keinen signifikanten Einfluss auf die linksventrikulären Füllungsparameter hatte. Der in dieser Studie aufgezeigte vorteilhafte Effekt von Cilazapril auf die diastolische Funktion scheint mit der reduzierenden Wirkung von Cilazapril auf die Nachlast und der Reduktion der linksventrikulären Masse im Zusammenhang zu stehen. Das Fehlen eines Langzeiteffekts auf die Verbesserung der diastolischen Funktion nach der Behandlung mit einem Diuretikum lässt sich nach unseren Ergebnissen auf die Vorlast- (eher als die Nachlast-)senkung und den fehlenden Effekt auf die linksventrikuläre Masse zurückführen.

A. Schneeweiss, MD
Sauerberg 12
D-W-6208 Bad Schwalbach 7 (BRD)

Einleitung

In mehreren Studien [1–3] sind die beim Hypertoniker sich im Myokard entwickelnden morphologischen Veränderungen beschrieben worden. Im wesentlichen sind dies die linksventrikuläre Hypertrophie und ihr Einfluss auf die linksventrikuläre Füllung. Heute gilt zweifellos als sicher, dass eine Hypertrophie die diastolische Funktion ungünstig beeinflusst und sogar die systolische Funktion verschlechtern kann. Dass Antihypertensiva die linksventrikuläre Masse und die Wandspannungen reduzieren, ist ausreichend bekannt [4, 5], jedoch ist der Einfluss dieser reduzierten Hypertrophie auf die linksventrikuläre Füllung noch nicht vollständig geklärt. Weitherhin bedarf auch die komplizierte Beziehung zwischen vergrösserter linksventrikulärer Masse, ihrer Auswirkung auf Wandspannung und linksventrikuläre diastolische Füllung der Aufklärung. Fouad et al. [6] berichteten, dass bei hypertensiven Patienten eine Reduzierung der maximalen frühen linksventrikulären Füllungsrate in Beziehung zur linksventrikulären Masse und in signifikanter Korrelation zur linksventrikulären Wanddicke stand. In dieser Studie versuchten wir, die Auswirkungen des neuen Angiotensin-Konversionsenzym (ACE)-Hemmers Cilazapril und eines Thiaziddiuretikums auf the linksventrikuläre Masse und die Wandspannung und deren Zusammenhang mit linksventrikulären Füllungsparametern aufzuzeigen. Darüber hinaus versuchten wir, über die Berechnung der atrialen Füllungsrate einen Effekt der Vorlastveränderungen auf die diastolische Funktion feststellen zu können.

Methoden

Patienten

30 ambulant behandelte Patienten mit essentieller Hypertonie (mittlerer diastolischer Blutdruck im Sitzen 90–115 mm Hg) wurden in die Studie eingeschlossen; es waren 20 Männer und 10 Frauen im durchschnittlichen Alter von 60,6 ± 7,5 Jahren. Die Patienten wurden randomisiert zwei Gruppen zugeteilt, von denen die eine doppelblind 2,5 mg Cilazapril, die andere 25 mg Hydrochlorothiazid pro Tag erhielt. Wenn nach 4 wöchiger Therapie der Blutdruck nicht ausreichend kontrolliert war, wurde die Dosis verdoppelt. Die gesamte Therapiezeit mit der aktiven Substanz dauerte 10 Wochen; die Patienten-Compliance wurde durch Abzählen der Kapseln überprüft. In der Cilazaprilgruppe befanden sich 9 Männer und 6 Frauen, mittleres Alter 58,33 ± 8,43 Jahre, in der Thiazidgruppe 11 Männer und 4 Frauen, mittleres Alter 63 ± 5,74 Jahre. Sechs Patienten, in jeder Gruppe 3, hatten bereits einen Myokardinfarkt hinter sich, 3 Patienten, die alle in der Thiazidgruppe waren, litten an Diabetes mellitus. Bei allen Patienten war eine milde bis mittlere systemische Hypertonie diagnostiziert worden. Durch Anamnese, körperliche Untersuchung, Ruhe- und Belastungs-EKG und eine Myokardszintigraphie mit ^{201}TL unter Belastung wurde bei allen Patienten eine aktive koronare Herzkrankheit ausgeschlossen. Die relevanten klinischen Daten aller Patienten sind in Tabelle 1 aufgeführt. Der eigentlichen Therapie vorgeschaltet war eine 2wöchige Washout-Phase, während der alle Patienten einmal pro Tag Plazebo erhielten. Bei Ende der Plazeboperiode, am Tag 0, unterzogen sich die Patienten einer echokardiographischen Untersuchung zur Bestimmung von Masse und Dicke der linksventrikulären Wand und einer Radionuklidangiographie, zur Feststellung systolischer und diastolischer Werte. Die Radionuklidmessungen wurden 3 h nach Substanzgabe wiederholt. Beide Messungen, Radionuklidangiographie und Echokardiographie, wurden nach 10wöchiger Verabreichung der aktiven Substanz nochmal durchgeführt. Bei Beginn der Washout-Phase, am Tag 0 der Untersuchung und nach 4- und 10wöchiger Behandlung wurden eine körperliche Untersuchung und ein EKG durchgeführt.

Szintigraphietechnik

An allen Patienten wurde in Ruhe eine Herzbinnenraum-Szintigraphie durchgeführt, bei der mit 20 mCi ^{99m}Tc-Pertechnat markierte rote Blutkörperchen eingesetzt wurden. Verwendet wurden eine Kamera mit Standardblickfeld, ein Hole-Kollimator (low energy medium resolution) und ein Digitalprozessor

Tabelle 1. Effekt von Cilazapril und dem Thiaziddiuretikum auf Blutdruck, linksventrikuläre Masse und Auswurffraktion im Vergleich

	Herz-frequenz (min^{-1})	Blutdruck (mm Hg)		Links-ventrikuläre Masse (g/m^2)	Wand-spannung (dyn/cm^2)	Links-ventrikuläre Auswurffraktion
		systolisch	diastolisch			
Ausgangswerte						
Cilazapril	79±7	176±18	109±71	157±51	293±31	64±8
Thiazid	79±5	167±8	105±6	147±39	277±16	64±9
p-Wert	NS	NS	NS	NS	NS	NS
Nach 10wöchiger Behandlung						
Cilazapril	75±5	144±10	83±5	137±38	241±23	65,2±7
Thiazid	78±5	151±8	87±9	160±32	251±16	65,2±8
p-Wert	NS	NS	NS	0,04	NS	NS

(Elscint Apex). Die Kamera wurde über eine geeignete Schnittstelle mit einem Minicomputersystem verbunden, und die Daten wurden in einer 45° LAO-Projektion mit einem kaudalen Winkel von 15° gesammelt. Der Herzzyklus wurde in 20 gleiche Felder unterteilt, und eine Gesamtmenge von 5 Millionen Impulsen registriert. Anschliessend wurden die Daten zeitlich und räumlich geglättet, der Background abgezogen und mit einem halbautomatischen Softwareprogramm die Zeit-Aktivitäts-Kurve erstellt [7]. Das Programm arbeitete mit einem Algorithmus, der die Wandbegrenzung halbautomatisch über die 2. Ableitung analysierte, wobei zu jedem Bild des Herzzyklus die Wandbegrenzung festgehalten wurde. Vor Erstellung der endgültigen Zeit-Aktivitäts-Kurve wurde jede Wandbegrenzung durch den Operator modifiziert.

Zur Berechnung der maximalen Füllungsrate wurde die maximale Neigung der Zeit-Aktivitäts-Kurve in der frühen Füllungsphase festgelegt. Nach 3-Punkt-Glättung zur Rauschunterdrückung wurde die Ableitung mit einem 5-Punkt-Algorithmus bestimmt [7]. Die maximale Füllungsrate – dargestellt als maximale Neigung der 1. Ableitung der frühen Füllungsmenge (Impulsrate pro Sekunde) – wurde durch die Impulse der Enddiastole geteilt. Damit erhält man die normalisierte maximale Füllungsrate, ausgedrückt in Volumina pro Sekunde. Die Zeit der Enddiastole (maximale Impulszahl) und der Endsystole (minimale Impulszahl) diente als Referenzsystem zur Bestimmung der Diastolendauer und der Zeit bis zur maximalen Füllungsrate. Die Zeit bis zur maximalen Füllung (TPF) wurde auf der Zeit-Aktivitäts-Kurve von dem Zeitpunkt der minimalen Impulse bis zum Zeitpunkt der maximalen Füllungsrate errechnet. Dieser Parameter ist in absoluten Werten (ms) und als Prozentsatz der Zeitdaure der Diastole (TPF/Zeit der Diastole × 100) ausgedrückt. Diese Indizes werden in der heutigen Situation als verlässliche Indikatoren für die linksventrikuläre diastolische Funktion betrachtet [7, 8]. Die absoluten rechts- und linksventrikulären Impulse, die im im Interesse stehenden Bereich durch automatische Randdetektion erhalten wurden, wurden bei ein und demselben Patienten vor und nach der Substanzverabreichung berechnet und verglichen. Die prozentuale Veränderung der absoluten Zählraten galt als strenger Indikator für stattgefundene Volumenveränderungen, wenn vor und nach der Substanzverabreichung alle Abschwächungsparameter und die «region of interest» konstant gehalten wurden. Zur Beurteilung der Atria wurde die folgende szintigraphische Technik eingesetzt. In jeder Studie wurde eine Phasenbildanalyse durchgeführt, unter Verwendung der harmonischen Fourier-Koeffizienten [9]. Das Phasenbild wurde über einen 16-Farbencode dargestellt. Bei allen Patienten wurden die Atria differenziert von den übrigen kardialen Strukturen dargestellt. Der Bereich, der ausgewertet werden sollte, wurde manuell mit einem elektronischen Kursor konturiert, indem beide Vorhöfe eingekreist und die Zeit-Aktivitäts-Kurven für die Atria festgelegt wurden. Obwohl auch die Fourier-Analyse ein Überlappen von verschiedenen Herzstrukturen nicht ausschalten kann, ist sie in der Lage, nichtüberlappende atriale Strukturen aufzulösen. Hierdurch sind wir in der Lage, nichtatriale Strukturen aus dem uns interessierenden Areal auszuschliessen und so Zeit-Aktivitäts-Kurven zu erhalten, die die atrialen Volumenveränderungen wiedergeben. Bei Durchführung der Fourier-Analyse der Atria wird die ventrikuläre Phase mit 0° und die atriale Phase mit 180° angenommen, wobei jede der Phasen ihre eigene Farbe hat. Der Bereich zwischen den beiden Phasen ist in 16 Farbbereiche unterteilt, von denen jeder 180°/60° repräsentiert (11,25°). In dieser Studie war ausschliesslich der blaue Farbbereich (180°) von Interesse, und alle anderen Farben oder Schattierungen wurden durch manuelles Überzeichnen eliminiert. So konnte der maximale Fehler (Überlappen von anderen Strukturen) 6% nicht übersteigen (100%/16 Farben). Sogar wenn ein kleiner Atriumbereich ausgeschlossen wurde, kann man zu Recht annehmen, dass Veränderungen des relativen Volumens nicht betroffen sein würden, da das Atrium in dieser Hinsicht einen homogenen Raum darstellt. Die links- und rechtsatrialen Füllungsraten wurden entsprechend einem bereits publizierten Verfahren berechnet [10, 11]. Diese Parameter spiegeln Veränderungen des venösen Rückstroms zum rechten und linken Ventrikel wider und dienen dazu, durch Isosorbidmononitrat verursachte Änderungen der Vorlast anzuzeigen. Die zeichnerische Abgrenzung der linksventrikulären und atrialen «regions of interest» wurde von zwei erfahrenen Nuklearmedizinern durchgeführt, die über den Inhalt der Studie nicht Bescheid wussten. Zwischen den beiden Auswertungen wurde niemals eine Diskrepanz gefunden, die > 10% betrug. Kleinere Unterschiede wurden als mittleres Ergebnis dargestellt.

Echokardiographische Messungen

Die Standard-M-mode-Untersuchungen wurden über eine zweidimensionale Echokardiographie mit konventioneller langer und kurzer Achse und apikalem 4-Kammer-Blick mit 3-MHz-Wandler geführt. Die Messungen wurden entsprechend den Richtlinien der American Society of Echocardiography durchgeführt, wobei die «Leitkontur zu Leitkontur»-Übereinkunft verwendet wurde [12]. Die enddiastolische linksventrikuläre innere Abmessung, das interventrikuläre Septum und die linksventrikuläre freie Wand wurden zu Beginn des QRS-Komplexes gemessen. Die Dicke der linksventrikulären Hinterwand oder der freien Wand wurde gemessen, wenn der Ultraschallstrahl auf dem Niveau der Spitzen der Mitralklappensegel war. Alle anderen Messungen wurden auf dem Niveau knapp unter den Spitzen der Klappensegel gemacht. Es wurden mindestens drei Messungen durchgeführt und gemittelt. Das Echokardiogramm wurde nur dann als aussagekräftig angesehen, wenn jede dieser Strukturen messbar war. Die entsprechend den Kriterien der American Society of Echocardiography durchgeführten Messungen wurden verwendet, um die linksventrikuläre Masse nach der Formel von Troy et al. [13] zu berechnen: LV-Masse (g) = 1,05 [(LVIDD + IVS + LVPW)^3 – (LVIDD)^3], wobei LVIDD = linksventrikuläre diastolische innere Abmessung (cm); IVS = interventrikuläre diastolische Septumdicke und LVPW = linksventrikuläre diastolische Hinterwanddicke.

Die linksventrikuläre Masse wurde über die Körperoberfläche normalisiert und der linksventrikuläre Massenindex berechnet. In unserem Labor wurde dann die Diagnose linksventrikuläre Hypertrophie gestellt, wenn der linksventrikuläre Massenindex > 95 g/m^2 war. Die Berechnung der linksventrikulären meridionalen Wandspannung basierte auf dem Prinzip, das Grossmann et al. [14] entwickelt hatten und das von Wilson et al. [15] verifiziert wurde. Unter Verwendung der echokardiographischen Bestimmungen von linksventrikulärem Durchmesser und Wanddicke sowie des systolischen Armdruckes, benutzten wir folgende Formel: Wandspannung = 0,9 [(0,334 × LVID × P)/PWT × (1 + PWT/LVID)] – 2 × 10^3 dyn/cm^2, wobei LVID = linksventrikulärer innerer Durchmesser; P = maximaler systolischer Druck und PWT = Hinterwanddicke.

Statistische Analyse

Die Ergebnisse sind als Mittelwerte und Standardabweichungen angegeben. Für die statistischen Analysen wurden der gepaarte und ungepaarte t-Test verwendet; das Signifikanzniveau war $p < 0,05$.

Ergebnisse

Cilazapril und Thiazid senkten während der 10wöchigen Substanzverabreichung den Blutdruck signifikant; und zwar Cilazapril von 176/109 auf 144/83 mm Hg ($p < 0,05$) und Thiazid von 167/105 auf 151/87 mm Hg ($p < 0,05$; Tab. 1, Abb. 1). In den beiden Gruppen wurde die Herzfrequenz nicht signifikant verändert. Der linksventrikuläre Massenindex verringerte sich in der Cilazaprilgruppe von 157 ± 51 g/m^2 auf 137 ± 38 g/m^2. Obwohl die Abnahme der linksventrikulären Masse nicht als signifikant bezeichnet werden kann, zeichnete sich doch ein Trend einer 15%igen Reduktion der linksventrikulä-

Tabelle 2. Einfluss von Cilazapril und dem Thiaziddiuretikum auf die linksventrikulären diastolischen Parameter

	NPFR	TPFR	%TPFR	LAF
Ausgangswerte				
Cilazapril	2,37 ± 0,7	169 ± 31	33,5 ± 10	46,5 ± 7
Thiazid	2,18 ± 0,6	182 ± 41	38,4 ± 9	45,4 ± 10
p-Wert	NS	NS	NS	NS
Nach 10wöchiger Behandlung				
Cilazapril	2,88 ± 0,5	144 ± 24	28,3 ± 7	55,3 ± 7
Thiazid	2,12 ± 0,5	192 ± 35	40,4 ± 9	47,8 ± 2
p-Wert	0,002	0,009	0,0001	0,01

LAF = Linksatriale Füllung.

ren Masse ab: die Wandspannung nahm von 292 ± 31 auf 241 ± 23 dyn/cm² ab (p < 0,01). Auch in der Thiazidgruppe nahm die Wandspannung von 277 ± 15 auf 251 ± 16 dyn/cm² (p < 0,01) ab, der linksventrikuläre Massenindex änderte sich jedoch nicht, es hatte eher den Anschein, dass er leicht vergrössert war (von 147 ± 39 g/m² auf 159 ± 32 g/m²).

Die systolische Funktion erfuhr in beiden Gruppen praktisch keine Veränderung; die Auswurffraktion erhöhte sich in der Cilazaprilgruppe leicht von 64% auf 68,4% und war gleichbleibend in der Thiazidgruppe (von 64 auf 64,75%, p = NS; Tab. 1). Veränderungen der diastolischen Funktion sind in Tabelle 2 zusammengefasst. Durch Cilazapril wurde ein signifikanter Anstieg der normalisierten maximalen Füllungsrate (NPFR) von 2,37 ± 0,7 auf 2,88 ± 0,5 (p < 0,02) bewirkt. Weitere signifikante Verbesserungen der diastolischen Funktion zeigten sich hinsichtlich der Zeit bis zur maximalen Füllungsrate (TPFR) und dem prozentualen Zeitanteil bis zur maximalen Füllungrate an der gesamten Diastole (% TPFR): TPFR nahm von 169 ± 31 auf 144 ± 24 und %TPFR von 33 ± 10 auf 28 ± 7 ab (Tab. 2). Diesem Ergebnis steht gegenüber, dass es in der Thiazidgruppe nach 10wöchiger Behandlung zu keiner Verbesserung der diastolischen Funktion kam. NPFR (von 2,18 ± 0,6 auf 2,12 ± 0,6), TPFR und auch %TPFR blieben nahezu unverändert auf vortherapeutischen Werten (Tab. 2, Abb. 2, 3). Die rechtsatriale Füllung stieg in der Cilazaprilgruppe von 46,5 ± 7 auf 55,3 ± 7 Impulse/s (p < 0,01) an; in der Thiazidgruppe veränderte sich praktisch nichts (von 45,4 ± 10 auf 47,8 ± 8; p = NS). Nach 10wöchiger Therapie zeigte die linksatriale Leerungsrate in der Cilazaprilgruppe verglichen mit der Thiazidgruppe eine signifikante Verbesserung (47 ± 7 vs. 36 ± 9 Impulse/s; p < 0,05). Die verbesserte linksatriale Leerung in der Cilazaprilgruppe entsprach den verbesserten diastolischen Parametern, die nach den 10 Wochen Cilazaprilbehandlung beobachtet wurden. Wurden die NPFR-Daten gegen die TPFR-Daten aufgetragen, konnten die beiden Gruppen sehr gut von einander abgegrenzt werden: die meisten Cilazaprilpatienten hatten hohe NPFR- und niedrige TPFR-Werte, bei den Thiazidpatienten verhielt es sich umgekehrt (Abb. 4).

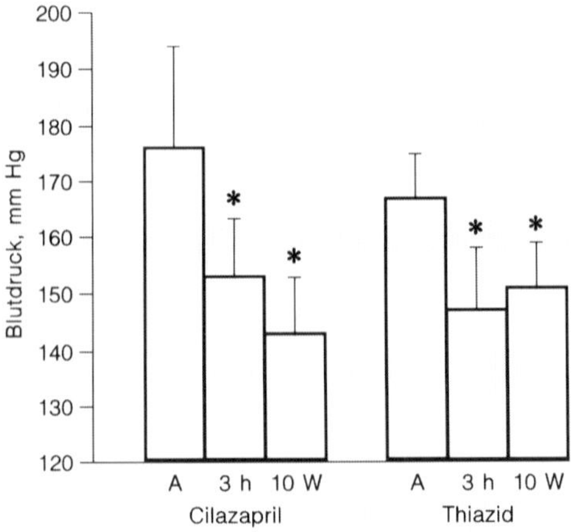

1

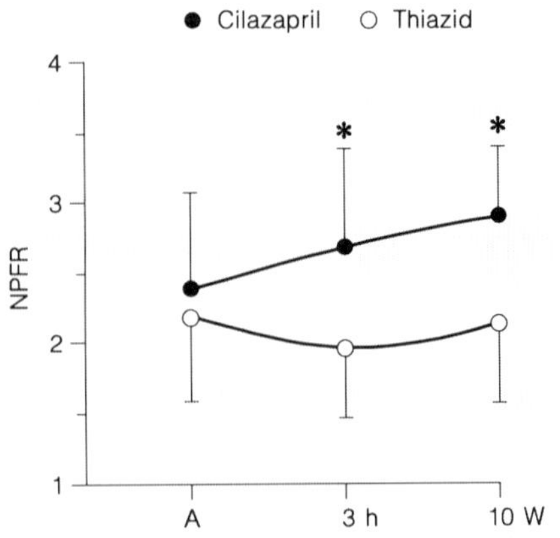

2

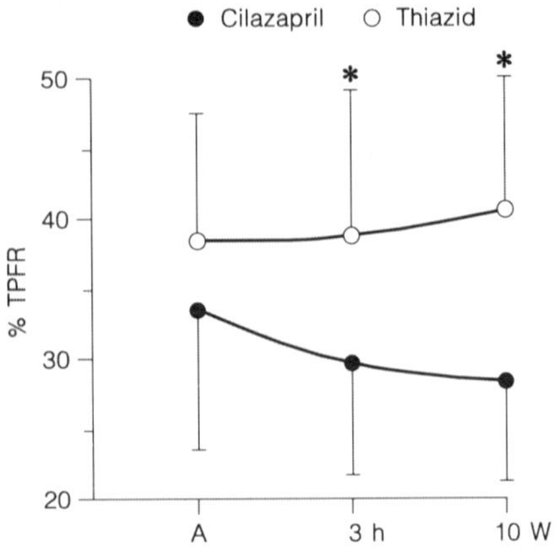

3

Abb. 1. Veränderungen der systolischen Blutdruckwerte durch Cilazapril und Thiazid, die 3 h und 10 Wochen (W) nach Therapiebeginn gemessen wurden. * $p < 0,05$. A = Ausgangswert.

Abb. 2. Durch die beiden Substanzen verursachte Veränderungen der NPFR, die 3 h und 10 Wochen (W) nach Therapiebeginn gemessen wurden. A = Ausgangswert. * $p < 0,05$.

Abb. 3. Durch die beiden Substanzen verursachte Veränderungen der %TPFR der gesamten Diastole, die 3 h und 10 Wochen (W) nach Therapiebeginn gemessen wurden. A = Ausgangswert. * $p < 0,05$.

Eine gute Korrelation ergab sich zwischen dem linksventrikulären Massenindex und NPFR bei einer Beurteilung beider Gruppen gemeinsam (r = 0,47; Abb. 5). Dies änderte sich nach der 10wöchigen Behandlung (r = 0,40), was den Schluss ziehen lässt, dass die verbesserte linksventrikuläre Füllung nicht nur durch die veränderte linksventrikuläre Masse, sondern auch durch andere Faktoren zustande kommt. Die Auswirkung der vergrösserten linksventrikulären Masse auf die linksventrikuläre meridionale Wandspannung zeigt die Abbildung 6. Wie die Abbildung verdeutlicht, verhindert die Massenzunahme bis zu einem gewissen Grad einen Anstieg der linksventrikulären Wandspannung. Interessanterweise zeigte sich, dass bei einer empirischen Zuordnung der Daten der linksventrikulären Füllung zu zwei Gruppen, einer mit niedriger oder verschlechterter Füllung (< 2,2 vol/s) und einer mit normaler Füllung (> 2,2 vol/s) und dem Auftragen gegen

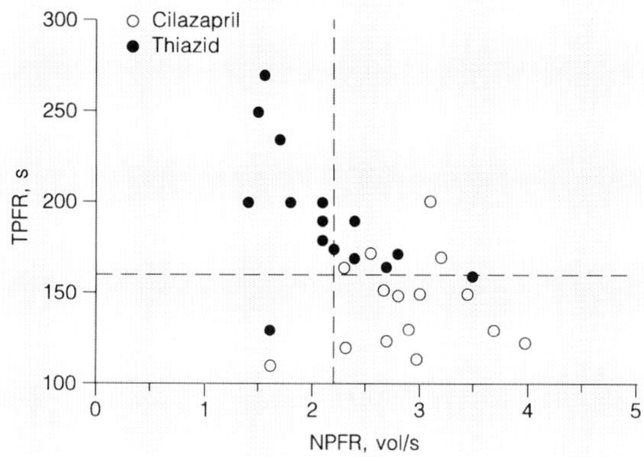

Abb. 4. Graphische Darstellung der diastolischen Parameter der beiden Substanzgruppen.

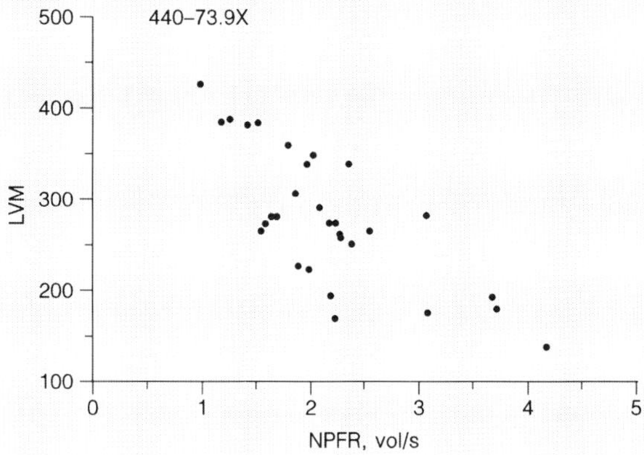

Abb. 5. Korrelation zwischen linksventrikulärer (LV) Masse und NPFR in der Studienpopulation. r = 0,74.

die gleiche Gruppe, eine direkte Korrelation mit der linsventrikulären Masse gefunden wurde (Abb. 6): die meisten aus der Gruppe mit verschlechterter Füllung lagen im Bereich mit der vergrösserten Massse. Die linksventrikuläre Wandspannung blieb praktisch unverändert und hatte keinen weiteren Einfluss auf die Füllungsrate (Abb. 6). Ähnliche Ergebnisse wurden gesehen, wenn die Wandspannung nach 10 Wochen Therapie vermindert wurde.

Diskussion

Die aus dieser Studie gewonnenen Ergebnisse unterstützen die bereits publizierten Daten über den vorteilhaften Effekt von ACE-Hemmern auf die diastolische Funktion und die linksventrikuläre Hypertrophie bei hypertensiven Patienten [16–20]. Der linksventrikuläre Massenindex nahm nach 10wöchiger Cilazaprilbehandlung von 157 ± 51 auf 137 ± 39 g/m^2 (p = NS) ab. Obwohl hinsichtlich

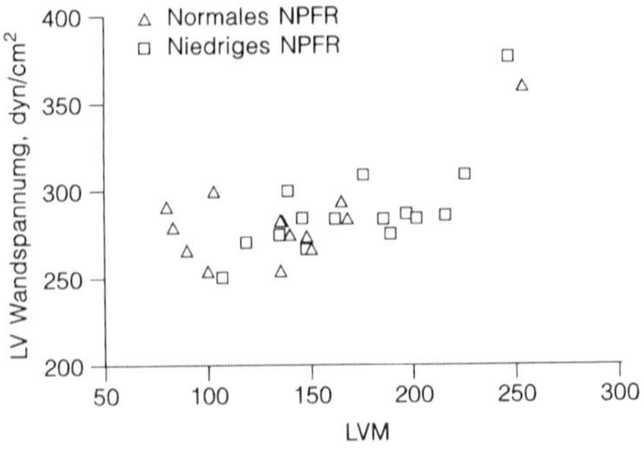

Abb. 6. Beziehung zwischen linksventrikulärer (LV) Wandspannung, Masse und NPFR in der Studienpopulation.

der linksventrikulären Masse keine statistisch signifikante Verbesserung erreicht werden konnte, so ist doch ein deutlicher positiver Trend zu sehen, ganz im Gegensatz zu dem Einfluss, den die Thiazidtherapie auf die linksventrikuläre Masse nimmt (der linsventrikuläre Massenindex stieg von 147 ± 32 auf 159 ± 39 g/m^2 an; p = NS). Stellt man einen Vergleich der linksventrikulären Masse zwischen den beiden Therapiegruppen an, so wird in der Cilazaprilgruppe eine signifikante Abnahme deutlich (Tab. 1): obwohl üblicherweise als wahrscheinliche Erklärung für die verringerte Hypertrophie und die verkleinerte linsventrikuläre Masse die Reduktion der Nachlast gegeben wird, scheint dies in unserer Studie nicht der Fall zu sein.

Das Thiaziddiuretikum und Cilazapril senkten beide in etwa gleichem Ausmass den Blutdruck und die Wandspannung (unter Cilazapril fiel der Blutdruck von 176/109 auf 144/83, unter Thiazid von 167/105 auf 151/87 mm Hg; Tab. 1, Abb. 1). In der Cilazaprilgruppe verminderte sich die Wandspannung von 293 ± 31 auf 241 ± 23, in der Thiazidgruppe von 277 ± 15 auf 251 ± 16 dyn/cm^2 (Tab. 1). So gesehen, scheint es unwahrscheinlich, dass ausschliesslich die Verminderung der Nachlast die in der Cilazaprilgruppe beobachtete Reduktion des linksventrikulären Massenindex erklären könnte. Von Muiesan et al. [16] wurden ähnliche Ergebnisse mit Captopril versus Thiazid berichtet. Nach einjähriger Captopriltherapie fand sich bei allen mit dem ACE-Hemmer behandelten Patienten ein Rückgang der linksventrikulären Hypertrophie und ein normalisierter linksventrikulärer Massenidex (< 120 g/m^2). Möglicherweise geht dieser Effekt auf eine Hemmung des herzgewebespezifischen Renin-Angiotensin-Systems zurück.

Verbesserung der diastolischen Funktion

Nach 10wöchiger Cilazapriltherapie zeigte sich auf alle gemessenen diastolischen Parameter ein vorteilhafter Effekt (Tab. 2). NPFR, TPFR und %TPFR der Diastole waren signifikant verbessert, während demgegenüber die Thiazidtherapie die Ausgangswerte dieser Parameter nicht beeinflusste. Es scheint so zu sein, dass dieser durchaus begrüssenwerte Effekt von Cilazapril schon mit der ersten Dosis eintritt (Abb. 2, 3), bestehen bleibt und unter Dauertherapie sogar noch vergrössert wird [NPFR erreichte nach 3 h (Ausgangswert 2,3) 2,67 und nach 10 Wochen 2,88 vol/s]. Im Gegensatz dazu zeigte sich in der Thiazidgruppe nach 3 h eine sofortige Reduktion des NPFR-Wertes (von 2,18 auf 1,95 vol/s), aber er stabilisierte sich nach 10wöchiger Therapie bei 2,12 vol/s. Diese Befunde können durch den voneinander abweichenden Effekt der beiden Substanzen auf die Belastungsbedingungen des Herzens erklärt werden. Substanzen, wie z.B. ACE-Hemmer und Kalziumantagonisten, die zur Nachlastsenkung tendieren, verbessern die diastolische Funktion sogar schon nach einer Einmalgabe [18, 19]. Andererseits können Substanzen, wie z.B. Nitrate und Diuretika, die in erster Linie die Vorlast senken, akut und chronisch die diastolische Funktion verschlechtern, sogar wenn der systemische arterielle Druck signifikant gesenkt wird [21–23]. So kann man den vorteilhaften Effekt von Cilazapril durch die Nachlastsenkung ohne Verschlechterung der linksventrikulären Füllung erklären, während die Tatsache, dass durch Thiazide die diastolische Funktion nicht verbessert wird, in einer Reduktion der linksventrikulären Füllung begründet liegen könnte. Diese Thesen werden durch Ergebnisse im Zusammenhang mit der linksatrialen Füllung unterstützt (Tab. 2). Es handelt sich zwar nicht gerade um dramatische Veränderungen, aber in der Cilazapril- gegenüber der Thiazidgruppe zeigte sich eine geringfügige Verbesserung der linksatrialen Füllung – ein Index für den venösen Rückstrom (von 46,5 auf 55,3 vs. von 45,4 auf 47,8 Impulse/s; Tab. 2). Der in dieser Untersuchung beobachtete relativ wenig veränderte Wert kann dadurch zustande gekommen sein, dass es bei beiden Gruppen unter chronischer Therapie zu einer kompensatorischen Normalisierung des venösen Rückstroms kam und die verwandte Messmethode aber nicht empfindlich genug ist, eine Beurteilung und Evaluierung des vollen Ausmasses von chronischen Veränderungen zuzulassen. Eine kompensatorische Normalisierung des venösen Rückstroms kann möglicherweise durch eine kräftigere Kontraktion des Vorhofs als Folge der vergrösserten linksventrikulären Masse entstehen [24]. Es scheint dennoch, dass nach den 10 Wochen Behandlung die Belastungskonditionen in der Cilazaprilgruppe besser sind, was auch teilweise die unterschiedliche Wirkung der beiden Substanzen auf die diastolische Füllung erklärt.

Beziehungen zwischen linksventrikulärer Masse, Wandspannung und diastolischer Füllung

Wie schon in mehreren Studien aufgezeigt [6, 24, 25], besteht eine inverse Korrelation zwischen der linksventrikulären Masse und den diastolischen Füllungsindizes. Auch in dieser Studie wurde eine solche Korrelation gefunden, als alle 30 Patienten aus den Studiengruppen ausgewertet wurden. In dem gleichen Ausmass, wie die NPFR signifikant abnahm, wurde die linksventrikuläre Masse vergrössert, die inverse Korrelation war r = 0,74 zur Ausgangssituation (Abb. 5). Nach der 10wöchigen Therapie wurde keine Korrelation gefunden, was die Vermutung zulässt, dass es neben der linksventrikulären Masse auch noch andere Faktoren gibt, die Einfluss auf die linksventrikuläre Füllung nehmen. Bei der Nachlastsenkung kann es sich um einen solchen Faktor handeln, wie die bereits gezeigten Daten besagen.

Um den Effekt der Wandspannung auf die Beziehung zwischen linksventrikulärer Masse und linksventrikulärer Füllung beurteilen zu können, wurde die linksventrikuläre meridionale Wandspannung versus den linksventrikulären Index aufgetragen. Wie zu erwarten war, verhinderten die Hypertrophie und die erhöhte Wanddicke ein Ansteigen der Wandspannung, sogar wenn die linksventrikuläre Masse um das Doppelte anstieg (Abb. 6). Eine weitere interessante Tatsache wurde dann sichtbar, wenn in die Graphik Wandspannung/linksventrikulärer Massenindex zusätzlich die Patienten mit niedriger NPFR ($<$ 2,2 vol/s) und die Patienten mit normaler NPFR ($>$ 2,2 vol/s) eingezeichnet wurden (Abb. 6). Wie erwartet, fanden sich die Patienten mit niedriger NPFR im Bereich erhöhter linksventrikulärer Masse und die Patienten mit normaler NPFR im Bereich normaler linksventrikulärer Masse aber beide Gruppen hatten praktisch die gleiche Wandspannung, was impliziert, dass eine Reduzierung der NPFR in erster Linie durch einen Anstieg der linksventrikulären Masse und nicht der Wandspannung entsteht. Es hat den Anschein, dass ein Anstieg der Wandspannung tatsächlich effektiv durch die Hypertrophieentwicklung und durch die Vergrösserung der linksventrikulären Masse verhindert werden kann. Weiterhin scheint auch die NPFR-Normalisierung nicht direkt in Abhängigkeit von der Reduzierung der Wandspannung, sondern eher der linksventrikulären Masse zu sein. Ein interessanter Aspekt hat sich jedoch insofern gezeigt, als nach 10 Wochen Behandlung und nach verringerter Wandspannung und linksventrikulärer Masse zwischen dem linksventrikulären Massenindex und der NPFR keine Korrelation gefunden wurde, was darauf schliessen lässt, dass die Nachlastsenkung bzw. die Reduzierung der linksventrikulären Spannung einen günstigen Einfluss auf die diastolische Füllung haben könnte.

Die Ergebnisse aus dieser Studie zeigen, dass der ACE-Hemmer Cilazapril nach 10wöchiger Therapie die linksventrikuläre Hypertrophie verringert und die linksventrikulären diastolischen Indizes verbessert, wenn mit einer Kontrollgruppe verglichen wird, die ein Thiaziddiuretikum erhalten hat. Der reduzierte linksventrikuläre Massenindex stellt ein strenges Kriterium für die verbesserte diastolische Füllung dar, während dagegen die Wandspannung keinen so grossen Einfluss hat. Die linksatriale Füllungsrate, ein wichtiger Faktor für den akuten Zustand [22, 23], scheint sogar noch nach 10wöchiger Therapie eine Rolle zu spielen und lässt vermuten, dass die Vorlastveränderungen in den beiden Gruppen, obwohl sie nach den 10 Wochen gut kompensiert waren, für die unterschiedlichen Langzeiteffekte der beiden Substanzen auf die diastolische Funktion mit ausschlaggebend sind. Die Nachlastsenkung und die reduzierte linksventrikuläre Masse scheinen bei Hypertonikern den vorteilhaften Effekt von Cilazapril auf die diastolische Funktion zu erbringen. Die Wirkung von Cilazapril ist auch nach 10wöchiger Therapie gleichbleibend gut; die Substanz scheint für die Behandlung von mässiggradiger systemischer Hypertonie vorteilhaft.

Literatur

1 Inouye I, Massie B, Loge D, Topic N, Silverstein D, Simpson P, Tubau J: Abnormal left ventricular filling: An early finding in mild to moderate systemic hypertension. Am J Cardiol 1984;53:120–126.

2 Shapiro LM, McKenna WJ: Left ventricular hypertrophy: Relationship of structure to diastolic function in hypertension. Br Heart J 1984;51:637–642.

3 Smith VE, Schulman P, Karimeddini MP, White WB, Meeran MK, Katz AM: Rapid ventricular filling in left ventricular hypertrophy. II. Pathological hypertrophy. J Am Coll Cardiol 1985;5:869–874.

4 Fouad FM, Nakashima Y, Tarazi RC, Salcedo EE: Reversal of left ventricular hypertrophy in hypertensive patients treated with methyldopa: Lack of assocation with blood pressure control. Am J Cardiol 1987;49:795–802.

5 Smith VE, White WB, Meeran MK, Karimeddini MK: Improved left ventricular filling accompanies reduced left ventricular mass during therapy of essential hypertension. J Am Cardiol 1986;8:1449–1454.

6 Fouad FM, Slominski JM, Tarazi RC: Left ventricular diastolic function in hypertension: Relation to left ventricular mass and systolic function. J Am Coll Cardiol 1984;3: 1500–1506.

7 Pearson AC, Goodgold H, Labowitz AJ: Comparison of pulsed Doppler echocardiography and radionuclide angiography in the assessment of left ventricular filling. Am J Cardiol 1988;61:446–454.

8 Friedman BJ, Drinkovic N, Niles H, Shin VJ, Mazolleni A, DeMaria A: Assessment of left ventricular diastolic function: Comparison of Doppler echocardiography and gated blood pool scintigraphy. J Am Coll Cardiol 1986;8:1348–1354.
9 Wendt RE, Murphy PH, Clark JW, Burdine JA: Interpretation of multigated Fourier functional images. J Nucl Med 1982;23:715–724.
10 Marmor AT, Mijeritzky Y, Plich M, Frenkel A, Front D: Improved radionuclide method for assessment of pulmonary artery pressure in COPD. Chest 1986;89:64–69.
11 Marmor AT, Biello DR, Sampathkamaran KS, Siegel BA, Roberts R: A new scintigraphic technique for assessment of right atrial function. Radiology 1981;139:719–723.
12 Sahn DJ, DeMaria A, Kisslo J, Weyman A: The Committee on M-Mode Standardization of Echocardiography. Recommendations regarding quantitation of M-mode echocardiography: Results of a survey of echocardiographic measurements. Circulation 1978;58:1072–1078.
13 Troy BL, Pombo J, Rackley CE: Measure of LV wall thickness and mass by echocardiography. Circulation 1972;45:602–612.
14 Grossman W, Jones D, McLaurin LP: Wall stress and patterns of hypertrophy in the human left ventricle. J Clin Invest 1974;56:56–64.
15 Wilson JM, Richek N, Hirshfeld J: Noninvasive assessment of load reduction in patients with asymptomatic aortic regurgitation. Am J Med 1980;68:664–674.
16 Muiesan ML, Agabiti-Rosei E, Romanelli G, Castellano M, Beschi M, Muiesan G: Beneficial effect of one year's treatment with captopril on left ventricular anatomy and function in hypertensive patients with left ventricular hypertrophy. Am J Med 1988;84:129–132.
17 Ajayi AA, Oyewo EA, Ladipo GO, Akinsola A: Enalapril and hydrochlorothiazide in hypertensive Africans. Eur J Clin Pharmacol 1989;36: 229–234.
18 Marmor AT, Traub Y, Chouri A, Grossar D, Schneeweiss A: Comparative effects of captopril and nifedipine on diastolic and systolic cardiac function in elderly hypertensive patients. J Hypertens 1988;6: S101–S103.
19 Schneeweiss A, Green T, Krakauer J, Goldhamer E, Szucs T, Marmor AT: The effect of cilazapril on systolic and diastolic cardiac function in hypertensive patients. J Hum Hypertens 1989;9:317–322.
20 Grandi AM, Venco A, Barzizza F, Casadei B, Marchesi E, Finardi G: Effect of enalapril on left ventricular mass and performance in essential hypertension. Am J Cardiol 1989; 63:1093–1097.
21 Poltnick GD, Kahn B, Rogers WJ, Fischer ML, Becker LC: Effect of postural changes, nitroglycerin and verapamil on diastolic ventricular function as determined by radionuclide angiography in normal subjects. J Am Coll Cardiol 1988;12: 121–129.
22 Marmor AT, Krakauer J, Schneeweiss A: Effects of a single dose of isosorbide-5-mononitrate on the left ventricular diastolic function in systemic hypertension. Am J Cardiol 1989;63:1235–1239.
23 Yamagishi T, Uki K, Yamauchi M, Yamada H, Kohno M, Kumada T, Ozaki M, Kusukawa R: Acute effects of sublingual isosorbide dinitrate on global and regional left ventricular diastolic filling in normal persons. Am J Cardiol 1986;58: 1061–1066.
24 Murakami T, Hess OM, Gage JE, Grimm J, Krayenbuehl HP: Diastolic filling dynamics in patients with aortic stenosis. Circulation 1986;73:1162–1174.
25 Douglas PS, Berko B, Lesh M, Reichek N: Alterations in diastolic function in response to progressive left ventricular hypertrophy. J Am Coll Cardiol 1989;13:461–467.

Cardiology 1993;82(suppl 2):43–46

Michał Tendera[a]
Eva Kozielska[a]
Gerd Rettig-Stürmer[b]

[a] 2nd Department of Cardiology, Silesian Medical Academy, Zabrze, Polen;
[b] Medizinische Klinik, Klinik Sulzbach der Bundesknappschaft, Akademisches Lehrkrankenhaus der Universität des Saarlandes, Sulzbach/Saar, BRD

Effekt von Cilazapril auf die myokardiale Kontraktilität und auf die linksventrikuläre systolische Funktion bei hypertensiven Patienten mit koronarer Herzkrankheit und niedriger Auswurffraktion

Effect of Cilazapril on Myocardial Contractility and Left-Ventricular Systolic Function in Hypertensive Patients with Coronary Heart Disease and Low Ejection Fraction

Schlüsselwörter
Cilazapril
Linksventrikuläre Dysfunktion
KHK
Hypertonie

Zusammenfassung

Wir untersuchten an 13 hypertensiven Patienten mit eingeschränkter Myokardkontraktilität (linksventrikuläre Auswurffraktion < 50%) die Wirkung einer oralen Einmalgabe von 2,5 mg des neuen Angiotensin-Konversionsenzym-Hemmers Cilazapril auf Blutdruck, Herzfrequenz und Auswurffraktion. Durch die Substanz wurde der Blutdruck signifikant von 165,5 ± 9,3/102,5 ± 6,1 auf 138,5 ± 8,2/79,4 ± 8,9 mm Hg ($p < 0,05$) gesenkt, während die Herzfrequenz von 71,7 ± 9,6 auf 77,6 ± 8,8 Schläge/min ($p < 0,005$) anstieg. Die linksventrikuläre Auswurffraktion stieg leicht, jedoch nicht signifikant von 28,1 ± 7,2 % auf 30,2 ± 7,0 %. Zwei Patienten entwickelten 2 h nach der Einnahme vorübergehend eine asymptomatische Hypotonie. Nach kurzer Bettruhe erholten sich beide ohne weitere Probleme wieder. Es lässt sich der Schluss ziehen, dass Cilazapril bei Patienten mit eingeschränkter Myokardkontraktilität einen erhöhten Blutdruck ausreichend senkt. Das Risiko einer First-dose-Hypotonie ist gering anzusetzen; allerdings sollten Patienten mit sehr niedriger Auswurffraktion für mindestens 4 h nach Einnahme unter Beobachtung bleiben.

A. Schneeweiss, MD
Sauerberg 12
D-W-6208 Bad Schwalbach 7 (BRD)

Einleitung

Die meisten therapeutischen Untersuchungen mit Angiotensin-Konversionsenzym-Hemmern (ACEI) bei Hypertonie wurden bei Patienten mit normaler linksventrikulärer systolischer Funktion durchgeführt [1]. In der klinischen Praxis zeigt sich jedoch, dass bei vielen Patienten – in der Hauptsache sind es Patienten, die gleichzeitig an koronarer Herzkrankheit leiden – die systolische Funktion eingeschränkt ist, was sich in Form von verminderter Kontraktilität und niedriger Auswurffraktion bemerkbar macht. Über den inotropen Effekt von Angiotensin II üben ACEI ganz komplexe indirekte Auswirkungen auf die kardiale Kontraktilität aus, wodurch die Herzfrequenz verlangsamt und die Nachlast reduziert wird, eine antiischämische und weitere Wirkung auftreten [2–4]. Aus diesen Gründen scheint es sinnvoll, Wirksamkeit und Sicherheit von ACEI mit besonderem Augenmerk auf Patienten mit eingeschränkter Kontraktilität zu untersuchen.

Es ist der Zweck dieses Untersuchungsberichtes, unsere Erfahrungen mit Cilazapril bei 13 hypertensiven Patienten mit niedriger linksventrikulärer Auswurffraktion darzustellen.

Patienten und Methoden

Patienten

Für die Untersuchung wurden Patienten mit leichter bis mittelschwerer Hypertonie ausgewählt, die sich nach und nach in den Ambulanzen der beteiligten Zentren vorstellten. Einschlusskriterien waren: 1) Patienten mit essentieller Hypertonie: diastolischer Blutdruck im Sitzen bei Eintritt in die Studie zwischen 95 und 115 mm Hg; 2) Patienten, bei denen die Diagnose Hypertonie neu gestellt wurde, oder Patienten, die alle anderen Antihypertonika abzusetzen bereit waren; 3) linksventrikuläre Auswurffraktion in Ruhe <50%.

Patienten wurden aus der Studie ausgeschlossen, wenn sie eines der folgenden Kriterien erfüllten: 1) Alter under 18 oder über 75 Jahren; 2) schwere, maligne oder komplizierte Hypertonie; 3) instabile Angina pectoris, Myokardinfarkt in den vergangenen 6 Monaten; 4) aktueller Verdacht auf Herzinsuffizienz, (NYHA-Klasse III–IV); 5) klinisch signifikante Erkrankungen der Atemwege, der Leber, der Niere (Plasmakreatinin >140 µmol/l), des Gastrointestinaltraktes, neurologische, hämatologische oder kardiovaskuläre (andere als Hypertonie) Erkrankungen; 6) klinisch signifikante zerebrovaskuläre Erkrankungen; 7) Schwangerschaft oder Stillzeit; 8) klinisch signifikante metabolische oder endokrine Erkrankungen; 9) Autoimmunerkrankungen; 10) Überempfindlichkeit, Allergie oder irgendwelche Kontraindikation gegenüber ACEI oder Thiaziddiuretika in der Anamnese; 11) Vorhofflimmern, eine hämodynamisch relevante Rhythmusstörung oder ein AV-Block 2. oder 3. Grades ohne Schrittmacher. Alle Patienten unterzeichneten eine Einverständniserklärung. Das Protokoll wurde von den ethischen Komitees der teilnehmenden Zentren genehmigt.

Methoden

Alle herzspezifisch wirksamen Substanzen wurden nach und nach abgesetzt, und die Patienten begannen eine einwöchige Run-in-Periode mit Placebo. Danach suchten sie morgens die Klinik auf und wurden einer körperlichen Untersuchung unterzogen, ein EKG wurde angefertigt und Routinelabortests durchgeführt. Die linksventrikuläre Auswurffraktion wurde mittels zweidimensionaler Echokardiographie gemessen. Danach erhielten die Patienten oral 2,5 mg Cilazapril; 2 h nach der Einnahme wurden Blutdruck, Herzfrequenz und linksventrikuläre Auswurffraktion bestimmt.

Ergebnisse

13 Patienten wurden in die Studie aufgenommen, sie wurde von allen abgeschlossen. Es waren 9 Männer und 4 Frauen im Alter von 58,8 ± 11,2 Jahren. Die vor Therapie bestimmte linksventrikuläre Auswurffraktion betrug 28,1 ± 7,2%. Cilazapril senkte den Blutdruck von 165,5 ± 9,3/102,5 ± 6,1 auf 138,5 ± 8,2/79,4 ± 8,9 mm Hg ($p < 0,05$).

Die Herzfrequenz stieg von 71,7 ± 9,6 auf 77,6 ± 8,8 Schläge/min ($p < 0,05$). Die Auswurffraktion stieg leicht, aber nicht signifikant auf 30,2 ± 7,0%.

Bei 2 Patienten stellte sich vorübergehend eine asymptomatische Hypotonie ein, die nach einer kurzen Ruhepause spontan wieder verschwand. Weitere Nebenwirkungen sind nicht beobachtet worden.

Diskussion

Nach unserer Untersuchung zeigte sich, dass Cilazapril bei Patienten mit eingeschränkter linksventrikulärer systolischer Funktion aufgrund einer koronaren Herzkrankheit die Hypertonie zufriedenstellend kontrolliert.

ACEI üben auf die linksventrikuläre systolische Funktion einen zweifachen Effekt aus: sie hemmen den positiven inotropen Effekt von Angiotensin II und wirken sich negativ inotrop aus, indem sie die Herzfrequenz verlangsamen und den sympathikusspezifischen Antrieb reduzieren [5]. Dieser Effekt wird jedoch durch die Nachlastreduktion mehr als kompensiert.

In ACEI-Studien mit invasiven Untersuchungsmethoden an Patienten mit koronarer Herzkrankheit und leichter chronischer Herzinsuffizienz hat sich gezeigt, dass Herzfrequenz, systolischer Blutdruck, Noradrenalinspiegel, dP/dt_{max} des linken Ventrikels, systolische und diastolische Wandspannung abnehmen, andererseits die Auswurffraktion ansteigt und das linksventrikuläre diastolische Druck-Volumen-Verhältnis zu sinken scheint [5].

Bei unseren hypertensiven Patienten wurde eine eingeschränkte linksventrikuläre systolische Funktion aufgrund einer reduzierten Auswurffraktion, nicht aber aufgrund einer offensichtlichen chronischen Herzinsuffizienz festgestellt. Derartige Situationen sind bei stationär aufgenommenen Hypertonikern häufiger anzutreffen. Nachdem Patienten eine Herzinsuffizienz entwickelt haben, kommt es oft zu einer spontanen Senkung ihres erhöhten Blutdrucks.

Das therapeutische Problem bei solchen Patienten besteht darin, wie weit und wodurch der Blutdruck gesenkt werden soll, um die Risiken einer Hypertonie zu vermeiden, ohne gleichzeitig den koronaren Perfusionsdruck übermässig zu vermindern.

Zwei unserer Patienten entwickelten nach der ersten Cilazaprildosis vorübergehend eine Hypotonie. Eine First-dose-Hypotonie ist ein gut bekanntes Problem, das nicht nur unter ACEI, sondern auch mit anderen Vasodilatatoren beobachtet wird [6–8]. Dies kann sich möglicherweise verstärkt bei Patienten mit eingeschränkter Ventrikelfunktion einstellen, bei denen das Herz nicht mehr ausreichend in der Lage ist, den Anforderungen durch eine Vasodilatation nachzukommen. Unsere zwei Patienten hatten Auswurffraktionen von 0,29 und 0,28, die nach der Cilazaprilgabe nicht anstiegen. Es lässt sich nicht sicher behaupten, ob ein begrenztes Ansprechen der Herzfrequenz dafür verantwortlich war, da bei beiden Patienten die Herzfrequenz von 90 auf 110 Schlägen/min anstieg. Deshalb ist die Hypotonie wahrscheinlich auf die eingeschränkte myokardiale Kontraktilität zurückzuführen.

Die üblicherweise angewandten Vorsichtsmassnahmen zur Vermeidung von First-dose-Hypotonie sollten bei Patienten mit eingeschränkter Ventrikelfunktion strikt eingehalten werden. Diese Vorsichtsmassnahmen bestehen darin, bei Patienten mit Volumen- oder Natriumdepletion, bei Patienten, die hochdosiert Diuretika oder andere Vasodilatatoren erhalten oder die für einige Stunden nach der ersten Dosis nicht überwacht werden können, keine Vasodilatatoren einzusetzen.

ACEI verändern bei Hypertonikern im allgemeinen die Herzfrequenz nicht. Bei unseren Patienten konnten wir jedoch einen geringfügigen und sogar signifikanten Anstieg der Herzfrequenz beobachten. Dies ist vielleicht auf die Unzulänglichkeit der myokardialen Reserve zurückzuführen, die periphere Vasodilatation zu bewältigen. Um das Herzminutenvolumen konstant zu halten, muss die Herzfrequenz ansteigen. Diese Hypothese wird durch den Befund unterstützt, dass die Auswurffraktion unverändert blieb.

Grenzen der Studie

Die wesentliche Begrenzung dieser Studie liegt im offenen Design begründet. Weil aber die First-dose-Hypotonie ein potentielles Risiko für Patienten mit geringer Auswurffraktion darstellt und die Wirkung von ACEI im besonderen bei solchen Patienten zuvor nicht untersucht worden ist, führten wir zuerst einmal eine Pilotstudie mit offenem Design durch. Basierend auf unseren hier gefundenen Ergebnissen sind wir dabei, eine grössere, doppelblinde, randomisierte placebokontrollierte Studie zu gestalten.

Schlussfolgerung

Insgesamt lässt sich sagen, dass Cilazapril zur Blutdruckkontrolle wirksam und sicher einzusetzen ist, auch wenn gleichzeitig eine niedrige Auswurffraktion vorliegt – eine Kombination, die häufig bei Patienten mit koronarer Herzkrankheit beobachtet wird. Nach der ersten Dosis sollten die Patienten einige Stunden überwacht werden, um eine mögliche Hypotonieentwicklung rechtzeitig zu erkennen.

Literatur

1 Schneeweiss A: Drug Therapy in Cardiovascular Diseases. Philadelphia, Lea & Febiger, 1986, pp 139–164.
2 Packer M, Meller J, Medina N, Yushak M: Quantitative differences in the hemodynamic effects of captopril and nitroprusside in severe chronic heart failure. Am J Cardiol 1983;51:184–188.
3 Olibari MT, Levine TB, Cox T, Cohn JN: Contrast in capacitance effects of captopril and nitroglycerin in congestive heart failure (abstract). Circulation 1982;66:462–469.
4 Massie B, Kramer BL, Topic N, Henderson SG: Hemodynamic and radionuclide effects of acute captopril therapy for heart failure. Circulation 1982;65:1374–1379.
5 Close P, Rousseau M, Curné O, Benedict CR, Pouleur H: Effects of benazeprilat on left ventricular systolic and diastolic function and neurohumoral status in patients with coronary artery disease; in Brunner HR, Salvetti A, Sever PS (Hrsg): Benazepril: Profile of a New ACE Inhibitor. London, Royal Society of Medicine Services, 1990, pp 153–159.
6 Packer M, Medina N, Yushak M. Identification of patients at high risk of symptomatic hypotension during captopril therapy for severe heart failure (abstract). Circulation 1988; 68:III9.
7 LaBarre TR, O'Connell JB, Gunnar RM: Captopril therapy for severe CHF: Hypotensive response in presence of markedly elevated PRA. Am Heart J 1982;103:308–313.
8 New Zealand Hypertension Study Group: Four to seven year follow-up of patients on prazosin. NZ Med J 1980;92:341–346.

Cardiology 1993;82(suppl 2):47–57

L. Reisin

Heart Institute, Barzilai Hospital, Ashkelon, Israel

Durch Angiotensin-Konversionsenzym-Hemmer verursachter Husten: Formen und Vorkommen

Konsequenzen für die Therapieweiterführung

Schlüsselwörter
Cilazapril
ACE-Hemmer
Hypertonie
Husten

Patterns and Behavior of Cough Induced by Angiotensin Converting Enzyme Inhibitors

Implications for Continued Therapy

Zusammenfassung

Von 245 Patienten, die nach ihrer Präsentation in unserer Klinik auf eine Therapie mit einem Angiotensin-Konversionsenzym (ACE)-Hemmer gesetzt wurden, überprüften wir die Krankenblätter, um diejenigen Patienten herauszufinden, die über einen trockenen Dauerhusten klagten. Darüber hinaus wurden alle diese Patienten nochmals über dieses Symptom befragt. 62 (25,3%) dieser Patienten litten 2 Monate und länger unter einem trockenen Dauerhusten. 27 von ihnen waren Hypertoniker, 22 hatten eine Herzinsuffizienz und 13 Patienten waren an beidem erkrankt. Es handelte sich um 38 Männer und 24 Frauen im durchschnittlichen Alter von 65 ± 9 Jahren. Es wurden 6 verschiedene Hustenformen beobachtet, von denen 3 bereits beschrieben wurden: 1) Patienten, bei denen nach Absetzen der ACE-Hemmer der Husten aufhörte: 16 (25,8% der Hustenpatienten); 2) Patienten, bei denen die ACE-Hemmer-Therapie weitergeführt wurde und auch der Husten andauerte: 14 (22,6%), und 3) Patienten, deren Husten klare, aber andere Ursachen hatte, ohne Zusammenhang mit den ACE-Hemmern: 7 (11,3%). Zusätzlich wurden 3 neue Formen von ACE-Hemmer-induziertem Husten beobachtet: 1) Patienten, bei denen der Husten spontan nach 4 ± 1,7 Monaten aufhörte, obwohl die ACE-Hemmer-Therapie weitergeführt wurde: 17 (27,4%); 2) Patienten, bei denen der Husten unter der kontinuierlichen ACE-Hemmer-Therapie zeitweise spontan aufhörte und wieder kam: 4 (6,5), und 3) Patienten, bei denen sich trotz der fortgesetzten unveränderten Therapie der Husten deutlich abschwächte: 4 (6,5%). Der Husten verschwand also oder wurde abgeschwächt bei 64% der Patienten, bei denen kein anderer Grund für diese Nebenwirkung vorlag und die ihre ACE-Hemmer-Therapie trotzdem fortsetzten. Die klinischen Charakteristika der Patienten, bei denen der Husten anhielt im Vergleich zu den Patienten, bei denen der Husten verschwand, wiesen keine signifikanten Unterschiede auf. Unsere Ergebnisse zeigen, dass Husten keine Indikation für ein sofortiges Absetzen der ACE-Hemmer sein sollte. Eine kontinuierliche Therapie über mehrere Monate ist gerechtfertigt, da der Husten wieder spontan verschwinden kann. So ist auch bei Patienten, bei denen der Husten verschwinden könnte, eine Voraussage aus klinischen Charakteristika nicht möglich. Andererseits sei betont, dass es Monate dauern kann, bis der Husten verschwindet. Es sollten Untersuchungen darüber angestellt werden, ob es für die Patienten, bei denen ein Husten auftritt, eine schnellere Hilfe gibt, ihn loszuwerden.

A. Schneeweiss, MD
Sauerberg 12
D-W-6208 Bad Schwalbach 7 (BRD)

Tabelle 1. 16 Patienten, bei denen der Husten nach Absetzen der ACE-Hemmer aufhörte: Patientendaten

Patienten Nr.	Alter	Geschlecht	AH	HI	Weitere wichtige Diagnosen	Captopril mg/Tag	Enalapril mg/Tag	Begleittherapie
1	68	F	+	+	Alter MI	18,7		Nitrat, Digoxin, Furosemid
2	72	F	+				20	Propranolol
3	80	M	+				10	Atenolol
4	70	F	+	+	NI	50		Nitrat, Digoxin, Furosemid
5	65	F	+			50		
6	71	F	+		Alter MI		20	Furosemid
7	53	M		+	Alter MI	50		Digoxin, Furosemid
8	66	F	+		Alter MI		5	Diltiazem, Furosemid
9	51	M	+	+		37,5		Digoxin, Amiodaron
10	72	F		+		25		Nitrate, Furosemid
11	76	F	+			50		Furosemid
12	61	M	+				5	
13	55	M	+			50		Atenolol, Hydralazin
14	65	F	+			75		Propranolol, HCT
15	53	M		+	Alter MI	37,5		Nitrat, Digoxin Aspirin
16	65	M		+	Alter MI	75		
$\overline{X} \pm SD$	66±10,2					42,6±16	12±7,6	

AH = Arterielle Hypertonie; HCT = Hydrochlorothiazid; HI = Herinsuffizienz NI = Niereninsuffizienz; MI = Myokardinfarkt.

Einleitung

Husten ist eine sehr lästige unerwünschte Erscheinung im Zusammenhang mit Angiotensin-Konversionsenzym-(ACE)-Hemmern. In Studien zur Arzneimittelsicherheit nach Zulassung wurde nur eine sehr geringe Häufigkeit ermittelt, dagegen war die Inzidenz in Studien, deren Design spezifisch zur Auffindung der Hustenhäufigkeit ausgelegt war, viel höher (bis zu 19%) [1–7]. Berichten zufolge soll Husten ein Hauptgrund für den Therapieabbruch mit ACE-Hemmern sein [1]. Er ist ungewöhnlich hartnäckig und trocken und kann gelegentlich so stark sein, dass es zu Erbrechen kommt. Im typischen Fall tritt gleichzeitig ein Juckreiz im Rachen auf, der sofort verschwindet, wenn der ACE-Hemmer abgesetzt wird. Die genaue Ursache dieser Nebenwirkung ist nicht geklärt. Wir haben uns zum Ziel gesetzt, in dieser Publikation die durch ACE-Hemmer verursachten verschiedenen Hustenformen zu beschreiben, mit der Betonung auf drei neuen Hustenformen, bei welchen der Husten spontan wieder aufhört, entweder für immer oder zumindest zeitweise. Diese Befunde können die Handhabung des durch ACE-Hemmer induzierten Hustens in der Praxis verändern und auch teilweise die nicht in Einklang zu bringenden Beurteilungen über die Häufigkeit des Auftretens, wie sie aus früheren Studien berichtet wurden, erklären.

Tabelle 2. Patienten, bei denen der Husten nach Absetzen der ACE-Hemmer aufhörte: Daten zum Husten

Patienten Nr.	Therapieperiode bis zum Hustenbeginn, Monate	Schwere des Hustens		Dauer des Hustens Monate	Derzeitige Lage: kein Husten
		mässig	schwer		
1	1		+	2	+
2	1	+		3	+
3	1	+		4	+
4	2		+	2	+
5	2	+		2	+
6	1	+		3	+
7	1	+		3	+
8	2	+		2	+
9	1	+		2	+
10	8	+		2	+
11	6	+		2	+
12	1		+	5	+
13	1	+		8	+
14	2	+		2	+
15	2	+		2	+
16	2	+		2	verstorben
$\overline{X} \pm$ SD	2,1 ± 2,0			2,9 ± 1,6	

Patienten und Methoden

Von 245 Patienten, die unter ambulanter Therapie mit ACE-Hemmern (Captopril oder Enalapril) standen, wurden die Krankenblätter überprüft, um diejenigen Patienten herauszufinden, die über einen trockenen Dauerhusten klagten. Darüber hinaus wurden alle diese Patienten nochmals über dieses Symptom befragt. Nur die Patienten, die 2 Monate oder noch länger unter einem hartnäckigen Husten gelitten hatten, wurden in die weitere Bewertung eingeschlossen, um wirklich jede Möglichkeit irgendwelcher akuten Ursachen für Husten, die mit einer ACE-Hemmer-Therapie nichts zu tun haben, auszuschalten.

Folgende Faktoren wurden beurteilt und die Patienten danach eingeteilt: Beginn des Hustens, Art des Hustens (trocken oder mit Auswurf), Juckreiz im Rachen, Schwere des Hustens, andere Ursachen vorhanden oder nicht, Behandlungsdauer vor Hustenbeginn, Hartnäckigkeit des Hustens, Dauer des Hustens, bevor irgendwelche Änderungen der Hustenform auftraten, Therapieänderungen, Begleittherapie und derzeitige Verfassung.

Die Patienten, deren gegenwärtige Verfassung nicht beurteilt werden konnte, wurden in diese Untersuchungsreihe nicht eingeschlossen. Patienten, die damals entlassen wurden, wurden nicht der Gruppe «ohne Husten» zugeordnet, wenn mit ihnen nicht direkt Kontakt aufgenommen werden konnte und all die oben aufgezählten Faktoren nochmals zu überprüfen waren.

Die demographischen und klinischen Daten der Gruppe wurden verglichen, und die statistische Signifikanz der Unterschiede wurde im ungepaarten t-Test bestimmt.

Ergebnisse

Von den 245 überprüften Patienten litten 62 (25,3%) 2 Monate und länger unter einem hartnäckigen Husten. Es handelte sich um 38 Männer und 24 Frauen im durchschnittlichen Alter von 65 ± 9 Jahren. 27 waren Hypertoniker, 22 hatten eine Herzinsuffizienz, und 13 Patienten waren an beidem erkrankt. Sie erhielten entweder 25–75 mg Captopril/Tag oder 5–20 mg Enalapril/Tag. Die Tabellen 1–11 enthalten die Patientendaten.

Tabelle 3. 14 Patienten, die während der weitergeführten Therapie fortgesetzt husteten: Patientendaten

Patienten Nr.	Alter	Geschlecht	AH	HI	Weitere wichtige Diagnosen	Cilazapril mg/Tag	Enalapril mg/Tag	Begleittherapie
1	63	M	+		Alter MI		20	Nitrat, Aspirin, Diltiazem
2	68	F	+			37,5		Propranolol
3	75	M		+	Schrittmacher, CLL		10	Furosemid, Diltiazem
4	61	M		+		75		Amiodaron, Nitrate, Furosemid
5	85	F	+	+	AR	75		Furosemid, Digoxin, Nitrat
6	88	F	+		CCI	50		Amiodaron, Nifedipin
7	60	F	+				20	Furosemid
8	69	M	+				20	Verapamil
9	63	M	+		Alter MI	50		Aspirin, Propranolol, Bezafibrat
10	75	F	+			50		
11	76	F	+	+			20	Nitrat, Furosemid
12	58	F	+			50		HCT, Amilorid
13	54	M	+	+	Alter MI		20	Aspirin, Furosemid, Nitrat
14	58	M	+			50		HCT, Nifedipin
$\overline{X} \pm SD$	68 ± 10,4					54,7 ± 13,2	18,3 ± 4,1	

AH = Arterielle Hypertonie; AR = Aortenregurgitation; CCI = chronische Koronarinsuffizienz; CLL = chronische lymphatische Leukämie; HCT = Hydrochlorothiazid; HI = Herzinsuffizienz; MI = Myokardinfarkt.

Es wurden sechs verschiedene Hustenformen beobachtet. 1) Patienten, bei denen nach Absetzen der ACE-Hemmer auch der Husten aufhörte: 16 (25,8% der Hustenpatienten; Tab. 1, 2). 2) Patienten, bei denen die ACE-Hemmer-Therapie weitergeführt wurde und auch der Husten andauerte: 14 (22,6%; Tab. 3, 4). 3) Patienten, deren Husten andere Ursachen hatte, ohne Zusammenhang mit den ACE-Hemmern: 7 (11,3%; Tab. 5, 6; bei diesen Patienten war es nicht möglich, den Husten entweder den ACE-Hemmern oder einer Begleiterkrankung zuzuschreiben). 4) Patienten, bei denen der Husten nach 2–8 Monaten (im Durchschnitt 4 ± 1,7) spontan aufhörte, obwohl die Therapie fortgeführt und somit unverändert ACE-Hemmer verabreicht wurden und auch keine anderen Therapieversuche zur Husteneindämmung unternommen wurden: 17 (27,4%; Tab. 7, 8; alle Patienten wurden mindestens noch 3 Monate, nachdem ihr Husten aufgehört und nicht wieder aufgetreten ist, nachbeobachtet). 5) Patienten, die Husten bekamen, aber bei denen es 2wöchige bis 3monatige hustenfreie Zeiten gab: 4 (6,5%; Tab. 9). 6) Patienten, bei denen sich unter der fortgesetzten unveränderten Therapie der Husten deutlich abschwächte: 4 (6,5%; Tab. 10, 11). Von einem Juckreiz im Rachen waren 58 von 62 Patienten betroffen: 3 von diesen 4 Patienten, bei denen diese Symptome nicht auftraten,

Tabelle 4. 14 Patienten, die während der weitergeführten Therapie fortgesetzt husteten: Daten zum Husten

Patienten Nr.	Therapieperiode bis zum Husten-beginn, Monate	Schwere des Hustens		Dauer des Hustens Monate	Derzeitige Lage: Husten
		mässig	schwer		
1	2	+		5	+
2	7	+		12	+
3	9	+		6	+
4	4		+	4	+
5	1		+	27	+
6	9	+		3	+
7	1		+	11	+
8	1	+		12	+
9	1	+		3	+
10	2	+		11	+
11	2	+		6	+
12	1	+		11	+
13	1	+		5	+
14	2		+	5	+
$\overline{X} \pm SD$	3,1 ± 3,0			8,6 ± 6,3	

Tabelle 5. 7 Patienten, bei denen ein Grund für ihren Husten festgestellt wurde, der mit der ACE-Hemmer-Therapie nichts zu tun hat: Patientendaten

Patienten Nr.	Alter	Ge-schlecht	AH	HI	Weitere wichtige Diagnosen	Cilazapril mg/Tag	Enalapril mg/Tag	Begleittherapie
1	70	M		+	COPD	50		Nitrat, Digoxin, Furosemid
2	80	M		+	COPD Alter MI		10	Nitrat
3	53	F	+		COPD	50		HCT
4	76	M		+	Alter MI, PE		10	Digoxin, Furosemid
5	67	M		+	COPD		20	Amiodaron
6	55	M		+	COPD	50		Furosemid, Digoxin
7	62	M	+		CABG, PI	50		Aspirin, Lovastatin
$\overline{X} \pm SD$	66,1 ± 10,2					50		

AH = Arterielle Hypertonie; CABG = Bypass; COPD = chronisch obstruktive Lungenerkrankung; MI = Myokardinfarkt; PE = Lungenödem; PI = langdauernde Intubation.

Tabelle 6. 7 Patienten, bei denen ein Grund für ihren Husten festgestellt wurde, der mit der ACE-Hemmer-Therapie nichts zu tun hat: Daten zum Husten

Patienten Nr.	Therapieperiode bis zum Husten-beginn, Monate	Schwere des Hustens		Dauer des Hustens Monate	Derzeitige Lage: Husten
		mässig	schwer		
1	0,5		+	8	+
2	1		+	24	+
3	1		+	12	+
4	1	+		12	+
5	5		+	6	+
6	1	+		14	+
7	0,5		+	5	+
$\overline{X} \pm SD$	$1{,}5 \pm 1{,}73$			$11{,}6 \pm 6{,}4$	

Tabelle 7. 17 Patienten, bei denen der Husten aufhörte: Patientendaten

Patienten Nr.	Alter	Ge-schlecht	AH	HI	Weitere wichtige Diagnosen	Captopril mg/Tag	Enalapril mg/Tag	Begleittherapie
1	63	F	+				5	Nifedipin, Metoprolol
2	72	M		+		50		Nitrat, Diltiazem
3	61	M		+	Alter MI	25		Diltiazem
4	79	M	+		Alter MI	50		Nitrat
5	55	F	+			50		HCT, Amilorid
6	66	F	+				20	Verapamil, Furosemid
7	64	F	+			50		
8	53	F	+				20	Verapamil
9	59	M	+	+	Alter MI AVR	75		Digoxin, Furosemid Nitrat, Coumadin
10	80	F	+	+			10	Furosemid, Nitrat
11	79	F	+	+	Alter MI	75		Furosemid, Nitrat
12	76	M	+	+	MR	75		Furosemid, Nitrat
13	62	M		+	Alter MI	50		Furosemid, Nitrat, Amiodaron
14	71	M	+		Schrittmacher	50		
15	64	M	+		Schrittmacher, CABG	50		Nifedipin
16	56	M	+		CABG	20		
17	66	M	+		Schrittmacher	20		
$\overline{X} \pm SD$	$66{,}2 \pm 8{,}6$					$54{,}6 \pm 15$	$15{,}8 \pm 6{,}7$	

AH = Arterielle Hypertonie; AVR = Aortenklappenersatz; CABG = Bypass; MI = Myokardinfarkt; MR = mitrale Regurgitation.

Tabelle 8. 17 Patienten, bei denen der Husten aufhörte: Daten zum Husten

Patienten Nr.	Therapieperiode bis zum Husten-beginn, Monate	Schwere des Hustens		Dauer des Hustens Monate	Derzeitige Lage: kein Husten
		mässig	schwer		
1	6		+	4	+
2	18	+		8	+
3	4	+		6	+
4	2	+		3	+
5	2	+		2	+
6	1		+	2	+
7	1	+		6	+
8	1	+		2	+
9	12	+		3	+
10	3		+	3	+
11	8		+	6	+
12	3		+	6	+
13	1		+	2	+
14	5	+		3	+
15	1		+	4	+
16	6		+	4	+
17	5	+		4	+
$\overline{X} \pm SD$	4,6 ± 4,6			4 ± 1,7	

Tabelle 9. 4 Patienten mit intermittierendem Husten: Patientendaten

Patienten Nr.	Alter	Ge-schlecht	AH	HI	Weitere wichtige Diagnosen	Cilazapril mg/Tag	Enalapril mg/Tag	Begleittherapie
1	62	F	+	+			20	Nitrat, Prazosin
2	58	M		+		37,5		Diltiazem, Furosemid
3	68	F	+	+		50		Nitrat, Furosemid
4	79	F	+	+	PVF	37,5		Disopyramid, Furosemid, Coumadin
$\overline{X} \pm SD$	66,7 ± 9,1					41,7 ± 7,2	20	

AH = Arterielle Hypertonie; HI = Herzinsuffizienz; PVF = paroxysmales Vorhofflimmern.

gehörten den Patienten der Gruppe 5 an, die nur zeitweise an Husten litten.

Bei keinem klinischen Parameter war zwischen den Gruppen 2 und 4 oder zwischen der Gruppe 2 und den Gruppen 4–6 kombiniert (d.h. zwischen Patienten, bei denen der Husten immer vorhanden war oder bei denen es zu Unterbrechungen kam) ein signifikanter Unterschied festzustellen.

Tabelle 10. 4 Patienten, bei denen sich der Husten deutlich besserte: Patientendaten

Patienten Nr.	Alter	Geschlecht	AH	HI	Weitere wichtige Diagnosen	Cilazapril mg/Tag	Enalapril mg/Tag	Begleittherapie
1	69	M		+		37,5		Digoxin
2	76	F	+			75		
3	62	M	+			75		Nitrat, Metoprolol
4	68	M	+	+		75		Digoxin, Furosemid
$\overline{X} \pm SD$	68,7 ± 5,7					65,6 ± 18,7		

AH = Arterielle Hypertonie; HI = Herzinsuffizienz.

Tabelle 11. 4 Patienten, bei denen sich der Husten deutlich besserte: Daten zum Husten

Patienten Nr.	Therapieperiode bis zum Hustenbeginn, Monate	Schwere des Hustens		Dauer bis zur Besserung des Hustens, Monate	Derzeitige Lage	
		mässig	schwer		kein Husten	geringer Husten
1	1		+	5		+
2	8		+	4		+
3	11		+	5		+
4	1		+	3		+
$\overline{X} \pm SD$	5,2 ± 5			4,2 ± 0,9		

Diskussion

Wir beschrieben bei Patienten, die mit ACE-Hemmern behandelt wurden, sechs verschiedene Formen von trockenem Husten. Fünf dieser Hustenformen konnten direkt und ausschliesslich auf die ACE-Hemmer-Therapie zurückgeführt werden. Drei davon, nämlich das spontane Aufhören des Hustens, der Husten, der nur zeitweise auftrat, und der deutlich abgeschwächte Husten sind bis jetzt im Zusammenhang mit einer ACE-Hemmer-Therapie noch nicht beschrieben worden. In unserer Untersuchung stellten wir fest, dass bei 64% der Patienten, bei denen kein anderer Grund für Husten vorlag und die ihre ACE-Hemmer-Therapie trotzdem fortsetzten, dieser verschwand, sich besserte oder nur zeitweise auftrat.

Übereinstimmung unserer Patienten mit anderen Untersuchungsgruppen

Unsere Patientengruppe ist hinsichtlich Alter, Hustenhäufigkeit und klinischem Erscheinungsbild vergleichbar mit anderen Untersuchungsgruppen, die in der Literatur beschrieben sind. Das Auftreten von Husten in unserer Untersuchung lag in dem in der Literatur berichteten höheren Bereich [1–7]. Nach Ausschluss der Patienten, bei denen der Husten andere Ursachen hatte, trat diese Nebenwirkung mit 22,4% auf.

In der Literatur gibt es einige nicht übereinstimmende Schätzungen darüber, wie lange eine Therapie schon durchgeführt wurde, als der Husten begann. Von Faison et al. [8] wird berichtet, dass sich bei 95% der Fälle der Husten innerhalb von 2 Monaten einer Enalapriltherapie einstellt. Yeo und Ramsay [1] berichteten dagegen, dass 60% ihrer Patienten, die an Husten litten, ihn innerhalb von 5 Monaten und 87% erst im Verlauf eines Jahres nach Beginn der Enalapriltherapie bekamen. Unsere Ergebnisse sind mit den von diesen Untersuchergruppen berichteten Eindrücken gut vereinbar. Sie besagen, dass unter unseren Patienten mehr Männer als Frauen Husten bekamen. Dies stellt einen gewissen Unterschied zu den anderen berichteten Daten dar [1], kann aber damit erklärt werden, dass sich in unserer Untersuchungsreihe ein grösserer Anteil von herzinsuffizienten Patienten (und nicht mit hohem Blutdruck) befand.

Häufigkeit von Husten induziert durch ACE-Hemmer

Über das Auftreten von Husten, der von ACE-Hemmern verursacht wird, gibt es unterschiedliche Schätzungen. In grossen Untersuchungsreihen gab es gewöhnlich eine geringe Häufigkeit. In Studien zur Arzneimittelsicherheit nach Zulassung trat Husten bei 0,7% der 4849 mit Captopril behandelten Patienten [2] und bei 3% der 13 713 mit Enalapril behandelten Patienten [3] auf. In kleineren Studien, die spezifisch diese Fragestellung hatten, lag die Häufigkeit viel höher. Sebastian et al. [4] fanden unter ACE-Hemmern eine 19%ige Hustenhäufigkeit, verglichen mit 9% unter Hydrochlorothiazid. Aus einer Publikation von Woo et al. [5] geht hervor, dass bei 18% ihrer mit Captopril behandelten Patienten Husten auftrat, verglichen mit 0%, wenn die Patienten Diuretika erhielten. Yeo und Ramsay [1] stellten bei 14,6% ihrer mit Enalapril behandelten Patienten Husten fest (und 19,2% bei ihren weiblichen Patienten). Es gibt in anderen Publikationen sogar noch höhere Zahlen [6, 7, 9]. Zu diesen unterschiedlichen Bewertungen gibt es mehrere plausibel erscheinende Begründungen: 1) Husten trat möglicherweise erst ein Jahr nach Beginn einer ACE-Hemmer-Therapie auf [4] und wurde deshalb nicht als therapieabhängig erkannt; 2) in den verschiedenen Studien kamen unterschiedliche Methoden zum Einsatz [1]; 3) da Husten ein «Symptom für alles Mögliche» sein kann, ist es möglich, dass die Beziehung zum verabreichten Medikament ignoriert wird; 4) Patienten, die mit ACE-Hemmern behandelt werden, leiden häufig auch noch an anderen Erkrankungen, wie z.B. Lungenerkrankungen, die Husten verursachen; 5) eine Herzinsuffizienz an sich verursacht Husten (der durch ACE-Hemmer induzierte Husten unterscheidet sich jedoch von dem, der bei einer Herzinsuffizienz auftritt).

Die Tatsache, dass Husten wieder spontan verschwinden kann, macht das Verstehen leichter, warum Studien mit unterschiedlicher methodischer und zeitlicher Durchführung von einander abweichende Ergebnisse erbringen. Die Häufigkeit dieses Phänomens – 27,4% für das völlige Verschwinden und 40,4%, wenn auch der intermittierende Husten sowie der stark abgeschwächte Husten gewertet werden – zeigt deutlich, dass dies beträchtlich zu den unterschiedlichen Ergebnissen beiträgt. Unsere Befunde erklären auch teilweise das Aufhören von Husten, wenn von einem auf einen anderen ACE-Hemmer umgestellt wird [10]. Dieser wichtige Aspekt sollte in kontrollierten Untersuchungen geprüft werden.

Warum verschwindet der Husten wieder?

Über den Mechanismus von Husten, der von ACE-Hemmern verursacht wird, gibt es mehrere Theorien. Eine Vermutung besteht darin, dass eine erhöhte bronchiale Reaktivität besteht, eventuell im Zusammenhang mit einer Akkumulation von Bradykinin oder mit einem veränderten Prostaglandinstoffwechsel [11, 12]. Andere mögliche Mechanismen schliessen auch eine Freisetzung von Substanz P [9, 13] oder Reaktionen auf Entzündungsgeschehen in den Atemwegen mit ein [14, 15]. Keiner dieser Mechanismen bietet aber zumindest gegenwärtig eine Erklärung für die von uns beobachteten verschiedenen Hustenformen.

Der intermittierend auftretende Husten könnte etwas Licht auf die Richtung werfen, nach der wir uns wenden sollten, um den Mechanismus zu verstehen. Es ist durchaus möglich, dass ACE-Hemmer einen Husten nicht direkt verursachen, dass sie aber die Empfindlichkeit für seine Entstehung steigern, indem sie verschiedene Auslöser stimulieren. Diese Theorie ist nicht nur vereinbar mit den Befunden eines intermittierend auftretenden Hustens bei unseren Patienten, sondern kann darüber hinaus auch Hinweise geben, warum das Aufhören von Husten bei bestimmten Patienten nur vorübergehend ist.

Ist Husten eine Indikation dafür, einen ACE-Hemmer abzusetzen?

Von Yeo und Ramsay [1] wurde berichtet, dass in ihrer Untersuchungsreihe mit 136 Patienten Husten der häufigste Grund dafür war, die Enalapriltherapie abzubrechen. 6% ihrer Patienten mussten die Substanz wegen Husten absetzen. Jedoch haben nicht alle Patienten, bei denen sich Husten einstellte, die Substanz nicht mehr genommen. So wurde auch von anderen Untersuchergruppen verfahren [16].

Von anderen wurde dagegen empfohlen, eine ACE-Hemmer-Therapie abzubrechen, wenn Husten im Zusammenhang mit der Medikamenteneinnahme diagnostiziert wurde [17, 18]. Führt man sich das relativ häufige Auftreten dieser Nebenwirkung vor Augen, dann könnte solches Vorgehen einer nicht zu akzeptierend grossen Anzahl von Patienten den Nutzen der ACE-Hemmer vorenthalten. Die Handlungsweise in unserer Klinik war unterschiedlich. Wir setzten die ACE-Hemmer-Therapie, wenn immer möglich, solange fort, bis der Husten nicht mehr zu tolerieren war. Weil wir so verfuhren, war es uns möglich, die unterschiedlichen, durch ACE-Hemmer verursachten Hustenformen herauszufinden.

Schlussfolgerung

Nach unseren Erfahrungen zeigte es sich, dass während einer kontinuierlichen Therapie ein durch ACE-Hemmer verursachter Husten ganz aufhören oder auch nur intermittierend sein kann. Deshalb sollte Husten keine Indikation für ein sofortiges Absetzen dieser Substanzen sein. So vorzugehen, scheint auch deshalb empfehlenswert, weil eine Voraussage aus klinischen Charakteristika, bei welchen Patienten der Husten wieder verschwinden könnte, nicht möglich ist. Andererseits sei an dieser Stelle daran erinnert, dass es Monate dauern kann, bis der Husten verschwindet. Es sollten Untersuchungen darüber angestellt werden, ob es für die Patienten, bei denen ein Husten auftritt, eine schnellere Hilfe gibt, ihn wieder loszuwerden.

Literatur

1 Yeo WW, Ramsay LE: Persistent dry cough with enalapril: Incidence depends on method used. J Hum Hypertens 1990;4:517–520.
2 Irvin JD, Viau JM: Safety profiles of the angiotensin converting enzyme inhibitors captopril and enalapril. Am J Med 1986;81(suppl 4C):46–50.
3 Inman WHW, Rawson NSB, Wilson LV, Pearce GL, Speirs CJ: Post-marketing surveillance of enalapril: I. Results of prescription-even monitoring. BMJ 1988;297:826–829.
4 Sebastian JL, McKinney WP, Kaufman J, Youn MJ: Angiotensin converting enzyme inhibitors and cough. Chest 1991;99:36–39.
5 Woo J, Woo SK, Kin T, Vallance-Owen J: A single-blind, randomized, cross-over study of angiotensin-converting enzyme inhibitor and triamterene and hydrochlorothiazide in the treatment of mild to moderate hypertension in the elderly. Arch Intern Med 1987;147:1386–1389.
6 Andersson RGG, Karlberg BE, Lindgren BR: Cough and other bronchial symptoms and skin disorders during treatment with ACE-inhibitors (in Swedish). Läkartidningen 1987;84:183–184.
7 Cromibe A, Manson P, McVey D, Smith MW, Smeeton VJ, Somerton DT: Once daily enalapril in general practice patients with mild to moderate essential hypertension. NZ Med J 1986;99:503–504.
8 Faison EP, Nelson EB, Irvin JD: Profile of ACE inhibitor associated cough: Incidence, characteristics and management (abstract). 2nd Int ACE Inhibition, London, 17–21 February, 1991.
9 Fuller RW, Choudry NB: Increased cough reflex associated with angiotensin converting enzyme inhibitor cough. Br Med J 1987;295:1025–1026.
10 Puolijoki H, Nieminen M, Moilanen E, Siitonen L, Ladhensuo A, Reinikainen P, Vapaatalo H: Cough induced by enalapril but not by captopril. Eur Respir J 1989;2:289–291.
11 Swartz SL, Williams GH, Hollenberg NJ, Levine L, Dluhy RC, Moore TJ: Captopril induced changes in prostaglandin production: Relationship to vascular responses in normal man. J Clin Invest 1980;65:1257–1264.
12 Lindgren BR, Rosenquist U, Ekström T, Grönneberg R, Karlberg BE, Andersson RGG: Increased bronchial reactivity and potentiated skin responses in hypertension subjects suffering from coughs during ACE-inhibitor therapy. Chest 1989;95:1225–1230.
13 Morice AH, Brown MJ, Lowery R, Higenbottam T: Angiotensin converting enzyme and the cough reflex. Lancet 1987;ii:1116–1118.
14 Boulet LP, Roberts RS, Dolovich J, Hargreave FE: Prediction of late asthmatic responses to inhaled allergen. Clin Allergy 1984;14:379–385.
15 Lernhardt EB, Ziegler MG: Cilazapril-induced cough. Clin Res 1987;35:377A.
16 Gibson GR: Enalapril-induced cough. Arch Intern Med 1989;149:2701–2703.
17 Paran E: Cough and angiotensin converting enzyme inhibition. Harefuah 1990;118:415.
18 Levey BA: Angiotensin-converting enzyme inhibitors and cough. Chest 1990;98:1052–1053.

Cardiology 1983;82(suppl 2):58–65

A. Schneeweiss[a]
V. Wiegand[b]

[a] Cardiovascular Research Foundation, Bad Schwalbach, BRD;
[b] Abteilung für Innere Medizin, Universität Göttingen, BRD

Zur Behandlung von Myokardischämien unter Berücksichtigung der Blutdruckwerte

Treatment of Myocardial Ischemia Taking Blood Pressure Values into Account

Schlüsselwörter
Hypertonie
Angina pectoris
Cilazapril
Kombinationstherapie

Einleitung

In der Behandlung von Hypertonie und Angina pectoris bestehen beträchtliche Überschneidungen. Medikamente gegen Angina pectoris sind auch in der Hochdruckbehandlung wirksam. Dies gilt nicht nur für First-line-Antihypertonika wie β-Rezeptorenblocker und Kalziumantagonisten, sondern sogar für Nitrate, die bei bestimmten Hochdruckformen, wie etwa dem isolierten systolischen Hochdruck des älteren Patienten, wirksam sind. Substanzen, die nur zur Behandlung der Hypertonie entwickelt wurden – dazu gehören auch die Angiotensin-Konversionsenzym-Hemmer – werden zur Zeit, mit unterschiedlichen Ergebnissen, für den Einsatz bei Angina pectoris evaluiert. Bei einigen Patienten mit Angina pectoris, vor allem mit Sonderformen dieser Krankheit, erwiesen sich sogar α-Adrenorezeptorenblocker als wirksam.

Therapeutische Wirkmechanismen

Die Pathophysiologie von Angina pectoris und Hypertonie führt in Verbindung mit den therapeutischen Mechanismen zur Überlappung in der Behandlung beider Krankheiten. Eine belastungsinduzierte chronisch stabile Angina pectoris entsteht immer dann, wenn das Gleichgewicht zwischen Sauerstoffangebot und -bedarf gestört ist. Nachlast und Vorlast gehören zu den wichtigsten Determinanten für den myokardialen Sauerstoffbedarf. In der häufigsten Form der essentiellen Hypertonie ist es vor allem ein erhöhter peripherer Widerstand, der zur hämodynamischen Beeinträchtigung führt. Die gleichen Faktoren, die – über den peripheren Widerstand – die Nachlast bestimmen, wirken auch auf die Koronararterien und bestimmen deshalb auch die Durchblutung im Myokard. Viele Vasodilatatoren senken den peripheren und koronaren Gefässwiderstand. Trotzdem

A. Schneeweiss, MD
Sauerberg 12
D-W-6208 Bad Schwalbach 7 (BRD)

muss man gewärtig sein, dass sie, beim normalen Herzen, im Versorgungsbereich eines Gefässes mit tiefen Stenosen den koronaren Blutfluss möglicherweise nicht erhöhen, sondern sogar zu einer Reduktion der lokalen Strömung und zu einem Steal-Effekt führen können.

Eine Reduktion des myokardialen Sauerstoffbedarfs oder eine Steigerung der myokardialen Blutversorgung führen bei Angina pectoris zu einer Entlastung oder Prävention. Das Gleichgewicht zwischen der Pathophysiologie des einzelnen Patienten und der relativen Wirkung von Wirkstoffen auf beide Mechanismen bestimmt im Einzelfall die Wirksamkeit und Sicherheit einer Substanz. Der systemische Blutdruck vor einer Behandlung bestimmt den myokardialen Sauerstoffbedarf (Nachlast) und das Sauerstoffangebot (Koronardurchblutung). Für die therapeutische Wirkung der verschiedenen antianginösen Medikamente ist er daher eine wichtige Determinante.

Alle antianginös wirkenden Substanzen mit Ausnahme der Nitrate senken auch den Blutdruck. In der Hochdruckbehandlung stehen β-Rezeptorenblocker und Kalziumantagonisten an erster Stelle. Auch wenn ihre antihypertensive Wirkung proportional zum ursprünglichen Blutdruck ist, können sie diesen auch bei normotensiven Personen senken. Nitrate reduzieren den myokardialen Sauerstoffbedarf durch Senkung von Nachlast und Vorlast und erhöhen die Versorgung des Herzens durch Dilatation. Andere Mechanismen, wie etwa Beeinflussung der Plättchenaggregation, könnten eine zusätzliche Rolle spielen. Welcher der genannten Mechanismen in erster Linie für die antischämische Wirkung der Nitrate verantwortlich ist, wird kontrovers diskutiert. Nitrate können den Blutdruck senken, werden aber nicht als Antihypertensiva angesehen.

β-Adrenorezeptorenblocker

β-Adrenorezeptorenblocker sind First-line-Substanzen in der Behandlung von Hypertonie und Angina pectoris. Senkung von myokardialem Sauerstoffbedarf über eine verlangsamte Herzfrequenz, erniedrigte Kontraktilität, reduzierten Blutdruck sowie weitere weniger wichtige Mechanismen führen zu ihren antianginösen Eigenschaften [1–4]. β-Adrenorezeptorenblocker steigern die Blutversorgung des Herzes nicht und können sogar sekundär zum reduzierten Sauerstoffbedarf und zu einer koronaren Konstriktion führen [5, 6]. Desweiteren bewirken sie keine Vorlastsenkung. Einige der neueren Betablocker haben gefässerweiternde Eigenschaften, die ebenfalls zu ihren antihypertensiven und antianginösen Wirkungen beitragen.

Für hypertensive und für die meisten normotensiven Patienten sind β-Rezeptorenblocker wirksame und sichere antianginöse Arzneimittel. Sie funktionieren weitgehend über Blutdrucksenkung und Herabsetzung der myokardialen Kontraktilität. Daher kann ihre Effektivität in hypo- und normotensiven Patienten begrenzt sein. In den meisten Studien, in denen Betablocker zur Therapie von Angina pectoris geprüft wurden, wurde dieses Problem nicht angesprochen, da hypotensive Patienten von diesen Studien ausgeschlossen waren. Ausserdem wurde bei der Analyse der Ergebnisse der Ausgangsblutdruck nicht berücksichtigt. Möglicherweise hätte eine derartige Analyse für Patienten mit hohem Blutdruck einen stärkeren Effekt gezeigt und in Patienten, die vor Therapie normotensiv oder hypertensiv waren, einen geringeren oder sogar einen negativen Effekt.

Dies traf auch auf eine weitere Studie [«post infarction secondary prevention trial»] mit β-Adrenorezeptorenblockern zu [7–10]. Eindeutige und sogar grenzwertige hypotensive Patienten waren von diesen Untersuchungen ausgeschlossen worden. Ihr Einschluss hätte theoretisch über eine Ischämieverstärkung zu einigen Todesfällen führen können. Der günstige Effekt der Betablocker bei anderen Postinfarktpatienten wäre damit aufgehoben worden. Dabei darf man nicht ausser Acht lassen, dass ein wesentlicher Grund für den Ausschluss der hypotensiven Patienten aus diesen Studien eine ventrikuläre Funktionsstörung und ein reduziertes Auswurfvolumen war. Prospektive Studien sollten sich mit der Frage nach Wirksamkeit und Sicherheit von Betablockern bei verschiedenen Formen der Borderline-Hypotonie befassen.

Es wurden noch keine Studien durchgeführt, in denen die antianginöse Wirkung der Betablocker in hyper- und normotensiven Patienten verglichen wurde. Solange dazu keine Ergebnisse vorliegen, ist es ratsam, die Behandlung der Angina pectoris bei hypotensiven und Borderline-hypotensiven Patienten mit anderen Arzneimitteln zu beginnen.

Kalziumantagonisten

In der Behandlung der Hypertonie sind Kalziumantagonisten Mittel der ersten Wahl. Sie senken den Blutdruck vor allem durch Reduktion des peripheren Widerstandes. Darin besteht auch, neben anderen Mechanismen, ihre antianginöse Wirkung: Durch Senkung der Nachlast vermindern sie den Sauerstoffbedarf im Myokard. Auch der negative inotrope Effekt der meisten Kalziumantagonisten trägt dazu bei, den Sauerstoffbedarf zu erniedrigen [11–13]. Durch Erweiterung der Koronargefässe erhöhen sie ausserdem das Sauerstoffangebot [14–16]. Trotzdem besteht die antianginöse Wirksamkeit der Kalziumantagonisten vor allem in der Reduktion der Nachlast sowie des myokardialem Sauerstoffbedarfs und nicht in einer Erhöhung der koronaren Durchblutung. Diese Feststellung stützt sich auf folgenden Befund: Kalziumantagonisten (Nifedipin, aber auch Diltiazem) senken, trotz einer Verlängerung der Belastungsdauer, das Produkt aus Herzfrequenz und systolischem Druck unter Maximalbelastung [17].

Systemischer arterieller Druck und Myokardkontraktilität können nur begrenzt gesenkt werden, da die günstige Wirkung, die von einem erniedrigten myokardialen Sauerstoffbedarf ausgeht, durch die verminderte Koronardurchblutung und eine beeinträchtigte Herzfunktion aufgehoben wird. Zusätzliche Mechanismen, zu denen koronare Vasodilatation und Vorlastsenkung gehören, gewinnen an Bedeutung. Versuche, Kalziumantagonisten zur Behandlung von Hypertonie und Angina bei Patienten mit beiden Krankheiten einzusetzen, haben zur Klärung dieser Frage beigetragen. So konnte beispielsweise gezeigt werden, dass Nifedipin sicher und wirksam bei Patienten mit hohem Blutdruck und gleichzeitiger Angina pectoris ist: Nifedipin lindert die Angina, verbessert die Belastbarkeit und senkt den erhöhten Blutdruck [18]. Allerdings wurde das umgekehrte Problem – die antianginöse Wirksamkeit von Kalziumantagonisten bei normo- und hypotensiven Patienten – noch nicht gründlich genug angegangen.

Bei Patienten mit koronarer Herzkrankheit kann die Medikation mit so hochwirksamen systemischen Vasodilatatoren, wie es Kalziumantagonisten sind, mit potentiellen Risiken verknüpft sein. Zwei Befunde untermauern diese Möglichkeit. Erstens, das Phänomen der «paradoxen Angina»: Bei einigen Patienten mit koronarer Herzkrankheit steigt das Ausmass der Angina nach Behandlung mit Kalziumantagonisten an [19, 20]. So erhöhte nach einer Studie Nifedipin die Angina bei 25% der Patienten mit chronisch stabiler Angina pectoris [21]. Auch wenn die tatsächliche Häufigkeit einer paradoxen Angina viel niedriger ist, ist sie doch ein ernstzunehmender unerwünschter Effekt. Mechanistisch hängt sie wohl mit einer übermässigen Senkung von Blutdruck und koronarem Perfusionsdruck zusammen.

Zweitens, die Tatsache, dass es in der Sekundärprävention nicht gelang für Kalziumantagonisten vom Dihydropyridintyp einen anhaltend günstigen Effekt zu zeigen [22]. Dies traf vor allem dann zu, wenn sie früh im Verlauf eines akuten Myokardinfarktes gegeben wurden. Der Grund dafür könnte eine übermässige Blutdrucksenkung bei einigen Patienten sein, vor allem, wenn diese Patienten vor der medikamentösen Behandlung nicht hypertensiv waren. Die Tendenz zur höheren Mortalität bei Patienten mit akutem Myokardinfarkt und systolischem Blutdruck <100 mm Hg, wie sie in einer Studie [23] gefunden wurde, steht mit dieser Hypothese in Einklang.

Das Gefahrenpotential einer Blutdrucksenkung und die unerwünschten Wirkungen, die daraus entstehen können, werden deutlich, wenn die Kombination von zwei Kalziumantagonisten mit der jeweiligen Monotherapie verglichen wird. In einer Studie mit Nifedipin und Diltiazem [24] hatten die Patienten unter Kombinationstherapie mehr Nebenwirkungen als die unter Monotherapie mit Nifedipin oder Diltiazem. Die meisten unerwünschten Ereignisse einschliesslich Schwindel, Palpitation und Verschlechterung der Angina könnten mit der Blutdrucksenkung zusammenhängen.

Nach diesen Befunden sollten Kalziumantagonisten nicht bein normotensiven und schon gar nicht bei hypotensiven Patienten als erste antianginöse Medikation eingesetzt werden. In einigen zur Zeit laufenden Studien wird die antianginöse Wirksamkeit von Dihydropyridinkalziumantagonisten bei normo- und hypertensiven Patienten untersucht. Eine geplante Studie soll, ebenfalls mit normo- und hypertensiven Patienten, die antianginöse Wirkung von Nitraten und Kalziumantagonisten untersuchen.

Kalziumantagonisten können aber auch die Vorlast [24] reduzieren und weisen, je nach Substanz, unterschiedliche hämodynamische Profile auf. Unter Umständen erweisen sich in der Zukunft bestimmte Kalziumantagonisten für den Einsatz bei nichthypertensiven Patienten eher geeignet als andere.

Angiotensin-Konversionsenzym-Hemmer

Angiotensin-Konversionsenzym-Hemmer (ACEI) wurden zur Behandlung der Hypertonie entwickelt und werden auch fast ausschliesslich bei dieser Erkrankung oder bei Herzinsuffizienz eingesetzt. Neuere Daten deuten jedoch darauf hin, dass ACEI bei Patienten mit Angina pectoris möglicherweise antiischämisch wirken können. So konnte in tierexperimentellen Untersuchungen gezeigt werden, dass eine Vorbehandlung mit ACEI die ischämische Myokardschädigung verringert [26–29]. Diesem Effekt könnten folgende Mechanismen zugrunde liegen: Erniedrigter myokardialer Sauerstoffbedarf durch Senkung der Nach- und Vorlast, Hemmung der lokalen Katecholaminfreisetzung, Beeinflussung des gewebeständigen Renin-Angiotensin-Systems und sogar eine negative inotrope Wirkung. Allerdings führen ACEI in klinischer Hinsicht vermutlich zu keiner Veränderung der Herzkontraktilität; ein negativer inotroper Effekt wird hauptsächlich dann beobachtet, wenn ACEI intrakoronar gegeben werden. Bei Postinfarktpatienten kann die Umgestaltung des rechten Ventrikels durch Captopril verändert werden [30]. Eine dilatierende Wirkung auf die Koronararterien ist möglich und wird zur Zeit untersucht [unveröffentlichte Daten].

Im Bereich der koronaren Herzerkrankung wurde die Wirkung der ACEI bis vor kurzem vornehmlich bei Patienten mit akutem Myokardinfarkt und Verschlechterung der Herzfunktion klinisch geprüft. In diesen Untersuchungen war die Wirkung auf den systemischen Blutdruck ein ernstes Problem. Einer Studie zufolge sank bei 3 von 7 Patienten der mittlere arterielle Druck unter 70 mm Hg [31], in einer weiteren Studie sank bei 21% der Patienten der systolische Druck auf < 75 mm Hg [32]. In einer dritten Untersuchung nahm bei 50% der Patienten der mittlere arterielle Druck auf Werte < 70 mm Hg ab [33].

Erst kürzlich wurden mögliche antiischämische Effekte der ACEI in normotensiven Patienten untersucht. Gibbs et al. [34] verglichen jeweils für 2 Wochen die Wirkungen von Enalapril und Plazebo bei 12 derartigen Patienten. Vier dieser Patienten konnten ihre Gesamtbelastungszeit um > 20% steigern. Mit den meisten antianginös wirkenden Medikamenten wird ein vergleichbarer Anstieg erreicht. Allerdings entwickelten 2 Patienten unter Belastung eher eine Ischämie und hatten eine reduzierte Gesamtbelastungsdauer. Dabei unterschied sich ihr Blutdruck unter Belastung nicht vom Blutdruck der Patienten, deren Werte sich verbesserten. Man darf allerdings nicht ausser Acht lassen, dass auch so potente antianginöse Substanzen wie Kalziumantagonisten und Nitrate auf paradoxe Weise zu einer Verschlechterung der Ischämie in einigen Fällen führen können.

Bei normotensiven Patienten mit ischämisch bedingter Herzinsuffizienz – mit oder ohne Angina pectoris – mag die Verwendung von ACEI durchaus praktikabel scheinen. Gibbs et al. [34] stellten dazu fest, dass «Enalapril mit Vorsicht zur Behandlung der Herzinsuffizienz eingesetzt werden sollte, wenn deren Ursache eine ischämische Herzkrankheit ist, da die günstigen Effekte der ACE-Hemmung durch eine Zunahme der myokardialen Ischämie aufgehoben werden können». Eine neue Studie von Cleland et al. [35] konnte dies bestätigen: bei Patienten mit Herzinsuffizienz führte Captopril zu keiner Verbesserung der Angina pectoris, möglicherweise hängt dies mit einem erniedrigten koronaren Perfusionsdruck zusammen.

Nach Haude et al. [36] führte Captopril sublingual bei 6 Patienten mit instabiler und Nitroglyzerin-resistenter Angina pectoris zu einer Verbesserung der Angina und der ST-Streckensenkung, ausserdem wurde der diastolische Lungenarteriendruck erniedrigt, und das Herzminutenvolumen erhöht. Captopril reduzierte den mittleren arteriellen Druck in dieser Gruppe von 88 ± 12 auf 74 ± 10 mm Hg.

Angesichts der Pathophysiologie der instabilen Angina, die ja überwiegend mit einer Koronarthrombose zusammenhängt, scheinen ACEI hier nur von begrenztem Wert zu sein. Der Einsatz von ACEI bei koronarer Herzkrankheit verspricht nach unserer Ansicht am meisten bei Patienten mit Hochdruck und gleichzeitiger Angina pectoris. So konnte in unserer Arbeitsgruppe gezeigt werden, dass der neue ACEI Cilazapril bei einigen Patienten mit chronisch stabiler Angina pectoris die Belastungsdauer erhöht. Zur Zeit läuft eine grosse kontrollierte Studie, um diese Ergebnisse zu sichern.

Zusammenfassend kann man sagen, dass eine Hypertoniebehandlung mit ACEI auch die Angina pectoris beträchtlich und in unterschiedlichem Masse beeinflusst, wenn beide Krankheiten gleichzeitig vorliegen. Jede antianginöse Therapie sollte daher – wegen der starken Wechselwirkung mit den ACEI-Effekten – sorgfältig eingestellt werden.

Nitrate

Nitrate sind in der Prävention und Milderung einer Angina pectoris wirksam, aber sie sind keine Antihypertensiva. Zu ihren Wirkmechanismen gehören koronare Vasodilatation [37, 38], Reduktion von Vor- und Nachlast [39, 40], Beeinflussung der diastolischen Eigenschaften des Herzes sowie der Plättchenfunktion [41]. Nitrate sind weniger auf Nachlastreduktion und Blutdrucksenkung angewiesen als andere Substanzen. Sie erweitern die grossen Koronargefässe einschliesslich der stenotischen Abschnitte und erhöhen so die Blutmenge im Myokard. Sie wirken weniger stark auf die Widerstandsgefässe, wodurch ein Steal-Effekt vermieden wird. Darüber hinaus erweitern Nitrate die koronaren Kollateralen [42] und wirken vorbeugend gegen eine belastungsinduzierte Vasokonstriktion, wie sie bei Patienten mit koronarer Herzkrankheit beobachtet wird [43]. Die Verteilung des Blutflusses im Herzmuskel wird durch Nitrate ebenfalls verbessert.

Obwohl Nitrate den Blutdruck akut senken, schwächt sich diese Wirkung unter Dauergebrauch stark ab. Deshalb werden Nitrate auch nicht als Antihypertensiva angesehen. Lediglich beim isolierten systolischen Hochdruck älterer Patienten wurden Nitrate zu Untersuchungszwecken eingesetzt [44]. Anders als üblicherweise bei essentieller Hypertonie ist pathophysiologisch hier vor allem die Steifheit der Conduitarterien die Ursache. Aber auch unter diesen Bedingungen war es in unserer Arbeitsgruppe nicht möglich, für Nitrate eine nennenswerte Blutdrucksenkung nachzuweisen [unveröffentlichte Daten].

Demnach sind Nitrate in erster Linie antianginös wirkende Substanzen, die sich nur minimal mit einer antihypertensiven Therapie überschneiden.

Zweier- und Dreierkombinationen

Nach Packer [45] führt die Kombination von β-Adrenorezeptoren und Kalziumantagonisten nur dann zu einem additiven antianginösen Effekt, wenn es sich um Patienten handelt, die keine stark eingeschränkte linksventrikuläre Funktion haben, und die trotz optimaler Monotherapie symptomatisch bleiben. Normotensive Patienten, vor allem mit eingeschränkter linskventrikulärer Funktion, scheinen von einer kombinierten Therapie mit potenten blutdrucksenkenden Medikamenten nicht zu profitieren. Bei Patienten mit linksventrikulärer Funktionsstörung, die trotz Therapie mit Nitraten und Betablokkern Schmerzen haben, wurde eher zu einer Bypassoperation geraten als zur Hinzunahme einer dritten Substanz. Eindeutig gilt dies für hypotensive Personen. Bei hypertensiven Patienten kann eine Dreierkombination in Erwägung gezogen werden, wenn die Zweierkombination nicht ausreicht und das Therapieziel primär die Blutdrucksenkung ist.

Schlussfolgerungen

Die meisten antianginösen Arzneimittel können auch als First-line-Antihypertensiva eingesetzt werden, da in beiden Fällen ihre vorteilhaften Effekte mechanistisch zusammenhängen. Es wurde noch nicht geprüft, inwieweit ihre antianginöse Wirkung vom Ausgangsblutdruck abhängt. Übermässige Blutdruckreduktion kann die Ischämie verstärken. Welche Substanzklasse in dieser Hinsicht sicherer ist, ist nicht bekannt. Wird ein Antihypertonikum bei einem Patienten eingesetzt, der zusätzlich Angina hat, kann diese verbessert oder verschlechtert werden oder unbeeinflusst bleiben. Diese Tatsache sollte vor Therapiebeginn bedacht werden. Blutdrucksenkende und antianginös wirkende Arzneimittel greifen stark ineinander über und erfordern daher eine sorgfältige Einstellung.

Literatur

1 Smith HJ, Goldstein RA, Griffith JM, Epstein SE: Regional contractility: Selective depression of ischemic myocardium by verapamil. Circulation 1976;54:629–635.
2 Friedman MJ, Temkin LP, Goldman S, Ovitt TW: Effects of propranolol on resting and post extra systolic potentiated left ventricular function in patients with coronary artery disease. Am Heart J 1983; 106:81–84.
3 Post S, Gobb FR, Jones RH: Effects of propranolol on left ventricular function in normal men. Circulation 1980;61:358–365.
4 Milne JR, Camm AJ, Ward DE, Spurrell RAJ: Effect of intravenous propranolol on QT interval: A new method of assessment. Br Heart J 1980;43:1–7.
5 Davids WG, Macdonald DC, Mason DJF: Effects of pronethalol and propranolol on the coronary circulation of the dog. Br J Pharmacol 1969:37:338–342.
6 Kern MJ: Potentiation of coronary vasoconstriction by beta-adrenergic blockade in patients with coronary artery disease. Circulation 1983;67: 1178–1184.
7 Norwegian Multicenter Study Group: Timolol-induced reduction in mortality and reinfarction in patients surviving acute myocardial infarction. N Engl J Med 1981;304: 801–807.
8 Beta-Blocker Heart Attack Trial Research Group: A randomized trial of propranolol in patients with acute myocardial infarction: I. Mortality results. JAMA 1982;247:1707–1714.
9 Rehnqvist N, Olsson G: Influence on ventricular arrhythmias by chronic post-infarction treatment with metoprolol (abstract). Circulation 1983;68(suppl III):III-369.
10 The MIAMI Trial Research Group: Metoprolol in acute myocardial infarction (MIAMI). A randomized placebo-controlled international trial. Eur Heart J 1985;6:199–226.
11 Valter W: Myocardial oxygen consumption under the influence of nifedipine (Adalat) in the anesthetized dog; in Lochner W, Kronenberg E (eds): New Therapy of Ischemic Heart Disease. Berlin, Springer, 1975, pp 77–82.
12 Stone PH, Antman EM, Muller JE, Braunwald E: Calcium channel blocking agents in the treatment of cardiovascular disorders. II. Hemodynamic effects and clinical applications. Am J Cardiol 1979;44:811–814.
13 Serruys PW: Influence of intracoronary nifedipine on left ventricular function, coronary vasomotility and myocardial oxygen consumption. Br Heart J 1983;39:427–434.
14 Kellett MA: The effect of verapamil on coronary and systemic hemodynamics in patients with coronary heart disease. Am J Cardiol 1982; 49:896–900.
15 Vatner SF, Hintze TH: Effects of a calcium channel antagonist on large and small coronary arteries in conscious dogs. Circulation 1982;66: 579–583.
16 Schulz W, Wendt T, Klepzig H Jr, Kober G: Der Einfluss von intrakoronarem und intravenösem Nifedipin und die allgemeine und lokale Gefässweite von epikardialen Koronararterien bei stabiler Angina pectoris – Ein antianginöser Wirkaspekt? Z Kardiol 1982;70:809–813.
17 Wallace WA, Wellington KL, Murphy GW, Liang CS: Comparison of antianginal efficacy and exercise hemodynamic effects of nifedipine and diltiazem in stable angina pectoris. Am J Cardiol 1989;63:414–418.
18 Schmoeckel M, Arendt RM, Hauck R, Schultheiss HP: Acute and chronic effects of nitrendipine on hemodynamics and myocardial ischemia in patients with combined angina pectoris and hypertension. J Cardiovasc Pharmacol 1988;12-(suppl 4):S170–S174.
19 Angelin PF: Hemodynamic and enzymatic effects of intravenous nifedipine administration in acute myocardial infarction. 5th International Adalat Symposium; in Kaltenbach M, Neufeld HN (eds): New Therapy of Ischemic Heart Disease and Hypertension. Amsterdam, Excerpta Medica, 1983, pp 208–214.
20 Fox KM: Treatment of chronic stable angina pectoris with nifedipine. 5th International Adalat Symposium; in Kaltenbach M, Neufeld HN (eds): New Therapy of Ischemic Heart Disease and Hypertension. Amsterdam, Excerpta Medica, 1983, pp 197–208.
21 Subramanian VB: Rationale for the choice of calcium antagonists in chronic stable angina. An objective double-blind placebo-controlled comparison of nifedipine and verapamil. Am J Cardiol 1982;50:1173–1178.
22 The Israeli Sprint Study Group: Secondary Prevention Reinfarction Israeli Nifedipine Trial (SPRINT II) (abstract). Eur Heart J 1988;9:354–364.
23 The Sprint Group: The Secondary Prevention Reinfarction Israeli Nifedipine Trial (Sprint II) (abstract). Eur Heart J 1988;9:350.
24 Frishman W, Charlap S, Kimmel B, Teicher M, Cinnamon J, Allen I, Strom J: Diltiazem, nifedipine, and their combination in patients with stable angina pectoris: Effects on angina, exercise tolerance, and the ambulatory electrocardiographic ST segment. Circulation 1988;77:774–786.
25 Yokota M, Koide M, Miyahara T, Kamihara S, Tsunekawa A, Noda S, Sotobata I: Effects of a new second generation calcium channel blocker, nilvadipine (FR34235) on exercise-induced hemodynamic changes in stable angina pectoris. J Am Coll Cardiol 1987;10:830–836.
26 Ertl G, Kloner RA, Alexander RW, Braunwald E: Limitation of experimental infarct size by an angiotensin-converting enzyme inhibitor. Circulation 1982;65:40–48.

27 Van Gilst WH, De Graeff PA, Wesseling H, De Langen CDJ: Reduction of reperfusion arrhythmias in the ischemic isolated rat heart by angiotensin converting enzyme inhibitors: A comparison of captopril, enalapril, and HOE 498. J Cardiovasc Pharmacol 1986;/8:722–728.
28 Van Gilst WH, De Graeff PA, Kingma JH, Weseling H, De Langen CDJ: Captopril reduces purine loss and reperfusion arryhthmias in the rat heart after coronary artery occlusion. Eur J Pharmacol 1984;100: 113–117.
29 Linz W, Schölkens BA, Han YF: Beneficial effects of the converting enzyme inhibitors, ramipril, in ischemic rat hearts. J Cardiovasc Pharmacol 1986;8(suppl 10):91–99.
30 Pfeffer JM, Pfeffer MA, Braunwald E: Influence of chronic captopril therapy on the infarcted left ventricle of the rat. Circ Res 1985;57:84–95.
31 McAlpine HM, Morton JJ, Leckie B, Dargie HJ: Use of oral ACE inhibitors post infarct. J Cardiovasc Pharmacol 1987;9(suppl 2):25–30.
32 Wenting GJ, Man INT, Veld AJ, Woittiez AJ, Derkx FHM, Schalekamp MADH: Captopril in the treatment of severe acute and chronic heart failure. Prog Pharmcol 1984;5:107–122.
33 Brivet F, Deltraissay J, Gindicelli J, Richer C, Legrand A, Dormont J: Immediate effects of captopril in acute left ventricular failure secondary to myocardial infarction. Eur J Clin Invest 1981;11:369–373.
34 Gibbs JSR, Crean PA, Mockus L, Sutton GC, Fox KM: The variable effects of angiotensin converting enzyme inhibition on myocardial ischaemia in chronic stable angina (abstract). Eur Heart J 1989;10(suppl 3):5.
35 Cleland JGF, Henderson E, McLenachan J, Findlay LN, Dargie HJ: Effect of captopril, an angiotensin-converting enzyme inhibitor, in patients with angina pectoris and heart failure. J Am Coll Cardiol 1991;17: 733–739.
36 Haude M, Erbel R, Tschollar W, Meyer J: Sublingual captopril in patients with unstable angina (abstract). Eur Heart J 1989;10(suppl 10):3–5.
37 Brown BG, Bolson E, Petersen RB, Pierce DC, Dodge HT: The mechanisms of nitroglycerin action: Stenosis vasodilation as a major component of the drug response. Circulation 1981;64:1089–1097.
38 Simon R, Koch M, Reil G: Effect of intracoronary nitroglycerin on coronary volume in man assessed by a double indicator method (abstract): Eur Heart J 1987;8(suppl 1):2.
39 Goldstein RE, Bennett ED, Leech GL: Effect of glyceryl trinitrate on echocardiographic left ventricular dimensions during exercise in the upright position. Br Heart J 1979; 42:245–254.
40 Fuchs RM, Brinker JA, Guzman PA, Kross DE, Yin FCP: Regional coronary blood flow during relief of pacing-induced angina by nitroglycerin. Am J Cardiol 1983;51:19–23.
41 De Caterina R, Gianessi D, Crea F, Chierchia S, Bernini W, Gazzetti P, L'Abbate A: Antiplatelet effects of isosorbide dinitrate in man. Z Kardiol 1983;72(suppl 3):46–51.
42 Fujita M, McKown DP, McKown MD, Franklin D: Comparative effects of nitroglycerin and diltiazem on regresses, newly developed coronary collaterals in conscious dogs (abstract). J Am Coll Cardiol 1986; 7(suppl):53A.
43 Krayenbühl HP, Hess OM, Gage JE, Grimm J: Nitroglycerin prevents coronary artery stenosis narrowing during dynamic exercise. Eur Heart J 1987;8(suppl 1):23.
44 Duchier J, Iannascoli M, Safar ME: Antihypertensive effect of sustained-release isosorbide dinitrate in elderly patients with systolic hypertension. X World Congr Cardiol, Washington, September 14–19, 1986 (2796).
45 Packer M: Combined β-adrenergic and calcium-entry blockade in angina pectoris. N Engl J Med 1989; 320:709–718.

Cardiology 1993;82(suppl 2):66–71

Clive Rosendorff
Clifford Knapp

Department of Medicine,
Mt. Sinai School of Medicine
New York, und Medical and
Pharmacy Services,
VA Medical Center, Bronx, N.Y.,
USA

Autacoide und ihre Rolle in der Pathogenese der Husteninduktion durch Angiotensin-Konversionsenzym-Hemmer

Autocoids and Their Role through Angiotensin-Converting Enzyme Inhibitors in the Pathogenesis of Cough Induction

Schlüsselwörter
ACE-Hemmer
Autacoide
Delapril
Husten

Zusammenfassung

Angiotensin-Konversionsenzym-Hemmer (ACEI) mit unterschiedlichen molekularen Strukturen können alle zu trockenem Husten führen. Damit drängt sich der Gedanke auf, dass zwischen dem ACEI-induzierten Husten und der ACE-Hemmung selbst ein Zusammenhang besteht. ACE könnte direkt und indirekt regulierend an vielen Wirkungen von Bradykinin, Prostaglandin und Substanz P beteiligt sein. Einige begrenzte Hinweise implizieren, dass diese Autacoide an der Pathogenese des ACEI-induzierten Hustens beteiligt sind. Delapril, ein ACEI, der selektiv die Wechselwirkungen von ACE-Angiotensin I hemmt (im Gegensatz zu den ACE-Bradykinin-Wechselwirkungen) führt nach vorläufigen Befunden wahrscheinlich zu weniger Husten als Captopril oder Enalapril.

Einleitung

Von den mehr als 80 Verbindungen, für die gezeigt werden konnte, dass die Angiotensin-Konversionsenzym (ACE) hemmende Eigenschaften haben [1], befinden sich derzeit in den Vereinigten Staaten 7 im Handel: Captopril, Enalapril, Lisinopril, Fosinopril, Ramipril, Quinapril, Benazepril und Cilazapril.

Entsprechend der chemischen Gruppe, die als Ligand des Inhibitors zum Zinkion im aktiven Zentrum des ACE-Moleküls dient, können die ACE-Hemmer (ACEI) in drei Klassen eingeteilt werden [1]. Diese drei Klas-

C. Rosendorff, MD, PhD
Medical Service, VA Medical Center
130 West Kingsbridge Road
Bronx, NY 10468 (USA)

sen werden entsprechend der Anwesenheit von Sulfhydryl-, Carboxyl- und Phosphorylgruppen definiert. Bei ständiger Anwendung scheint *jeder* ACEI, soweit er an Patienten geprüft wurde, einschliesslich repräsentativer Substanzen, bei einer Subpopulation von Patienten Husten hervorzurufen [1–8].

Um sicherzustellen, dass ein Medikament eine bestimmte Nebenwirkung hervorruft können Provokationsteste verwendet werden [9]. Wie festgestellt wurde, verschwand der Husten bei Patienten, die unter Captopril- oder Enalaprilbehandlung dieses Symptom entwickelten, schnell wieder, sobald diese Substanzen abgesetzt wurden [6, 10, 11]. Patienten, die schon einmal in Verbindung mit Captopril oder Enalapril Husten bekommen hatten, litten auch ein zweites Mal an diesem Symptom, sobald die Medikation mit diesen Substanzen wieder aufgenommen wurde [6]. Diese Befunde können als Hinweis dafür genommen werden, dass die Therapie mit ACEI zur Entwicklung von Husten führen kann.

Inzidenz

Die Berichte über die Häufigkeit des ACEI-induzierten Hustens weisen starke Unterschiede auf. Zumindest teilweise mag dies an der Verwendung unterschiedlicher Methoden liegen, mit denen die Husteninzidenz bei Patienten unter ACEI-Therapie bestimmt wurde. In einer Post-Marketing Überwachungsstudie wurde festgestellt, dass bei 3 bzw. 1.1% der mit Enalapril bzw. Captopril behandelten Patienten Husten auftrat [6]. Diese Inzidenz für Husten ist viel niedriger als in anderen Studienberichen und mag daran liegen, dass man spontanen Arztberichten als Mittel zur Bestimmung von Hustenpatienten vertraute.

In prospektiven Studien wurde festgestellt, dass enalapril- und captoprilassoziierter Husten nach 6monatiger Therapie mit diesen Substanzen mit einer Häufigkeit von 7.1 und 6.2% auftrat [12, 13]. Retrospektive Analysen von Berichten ambulanter Patienten deuten daraufhin, dass Enalapril mit einer Inzidenz von 10 bis 13% zu Husten führt [10, 11]. In einer Querschnittsstudie an randomisierten Patienten erreichte die Häufigkeit des ACEI-bedingten Hustens den hohen Wert von 19% [14].

Länger wirkende ACEI wie Enalapril, Lisinopril und Ramipril sollen, wie behauptet wurde, eher zu Husten führen als kürzer wirkende Substanzen wie Captopril [6]. In einer weiteren Studie wurde jedoch kein signifikanter Unterschied in der Husteninzidenz zwischen Enalapril und Captopril gefunden [12]. Häufig wurde gezeigt, dass der Husten bestehen bleibt, wenn die Patienten von einem ACEI auf einen anderen umgestellt werden [6, 11]. Den Berichten zufolge gab es jedoch einige Patienten, die von einer solchen Umstellung profitierten [6, 15]. Aus bisher ungeklärten Gründen trat der Husten sowohl nach Captopril- wie auch nach Enalaprilbehandlung mit einer viel grösserer Häufigkeit bei Frauen auf als bei Männern [6, 10].

Klinisches Erscheinungsbild des ACEI-induzierten Hustens

ACEI-induzierter Husten kann als anfänglich heimtückisch, trocken, nicht produktiv und andauernd charakterisiert werden [10]. Ein derartiger Husten erweist sich für die Patienten häufig während der Nacht als problematisch [5, 6, 11]. ACEI-Husten kann in Verbindung mit Irritationen im Rachen und mit verstopfter Nase auftreten [11]. Dem gegenwärtigen Anschein nach führt eine Therapie mit ACEI wohl nicht zu einer Verstärkung von Atemwegsobstruktionen [15–18]. Es existieren jedoch einige Berichte über Asthmapatienten deren Zustand sich nach Beginn der ACEI-Behandlung verschlechterte [19–21]. Husten als Folge einer Therapie mit Captopril oder Enalapril tritt, den Berichten nach, innerhalb von 3 Monaten nach Therapiebeginn auf [6]. Nach Meinung einer Untersuchergruppe nehmen die Hustenwirkungen von Enalapril in ihrer Schwere mit der Zeit zu [9]. Es gelang ihnen und anderen Forschern nicht, zwischen der Dosierung des ACEI und der Schwere des Hustens eine Verbindung herzustellen [6, 10, 12]. Mit einer Erniedrigung der Enalaprildosis wurde keine Hustenlinderung erzielt [10].

Mechanismus

Die genauen Prozesse, die an der Pathogenese von ACEI-assoziiertem Husten beteiligt sind, müssen zum grössten Teil noch aufgeklärt werden. ACEI mit deutlich verschiedenen chemischen Strukturen weisen alle hustenfördernde Wirkungen auf. Dies legt den Gedanken nahe, dass der Husten aus der ACE-Hemmung per se resultiert. Husten entsteht durch Stimulation der sensorischen Nervenendigungen in den Luftwegen, was wiederum zu einer Aktivierung des Hustenzentrums im Mittelhirn führt [22]. Nach den Ergebnissen einer Studie sind bei der Entstehung des ACEI-assoziierten Hustens Rezeptoren mit Lokalisation in den extrathorakalen Luftwegen beteiligt [15].

Nach Meinung verschiedener Autoren fördern ACEI den Husten indem sie die stimulierenden Wirkungen von Autacoiden wie Bradykinin, Prostaglandin und möglicherweise Substanz P auf die in den Luftwegen lokalisierten sensorischen C-Fasern verstärken [2, 23, 24]. Das ACE ist eine Peptidyldipeptid-Hydrolase, für die nachgewiesen werden konnte, dass sie identisch mit der Kininase II ist, einem enzymatischen Bestandteil der Bradykininabbauwege [25] (Abb. 1). Dieses Enzym könnte auch an den Stoffwechselwegen in Zusammenhang mit dem Metabolismus der Substanz P beteiligt sein [26]. Eine Reihe von Studien zeigt, dass die Behandlung mit ACEI die Wirkungen von Bradykinin und Substanz P in unterschiedlichen Textsystemen verstärkt. In Tierversuchen ist gezeigt worden, dass ACEI die bronchokonstriktorischen Wirkungen sowohl von Bradykinin [27, 28] wie auch von Substanz P [29] verstärken. Es ist vermutet worden, dass die hypotensiven Wirkungen der ACEI zum Teil von ihrer Verstärkung der Bradykinineffekte in der Gefässwand herrühren [30]. Behandlung mit den ACEI S10211 [31] und Cilazaprilat [32] führte zu einer Potenzierung der bradykinininduzierten arteriellen Relaxation.

Beim Menschen führte die Verabreichung von Enalapril zu einer Verstärkung der inflammatorischen Wirkungen von intradermal injiziertem Bradykinin [33]. Bei Patienten, die mit dem Cyclooxygenasehemmer Sulindac vorbehandelt wurden, war dieser Effekt abgeschwächt [34]. Dieser Befund impliziert eine Beteiligung der Prostaglandine an den Enalaprilwirkungen. Zu den weiteren Hinweisen auf prostaglandinvermittelte ACEI-Wirkungen gehört auch der Befund nach Vorbehandlung mit Indometacin, einem Inhibitor der Prostaglandinsynthese, die auf die hypotensive Wirkung von Captopril antagonisiert [35]. Über die genaue Beziehung zwischen den Wirkungen der ACEI und den Prostaglandinen besteht zum gegenwärtigen Zeitpunkt noch keine Klarheit. Mit Hilfe von In-vitro-Modellen wurde gezeigt, dass Bradykinin die Arachidonsäurefreisetzung und ihre nachfolgende Umwandlung zu Prostaglandinen (möglicherweise durch Aktivierung der B2-Kininrezeptoren) stimulieren kann [30, 36]. ACEI fördern die Akkumulation von Bradykinin und können so auf indirektem Wege die Prostaglandinbildung stimulieren [30].

Gegenwärtig gibt es nur begrenzte Hinweise auf eine direkte Verbindung von Autacoiden und der Entstehung eines ACEI-Hustens. Es ist gezeigt worden, dass Inhalation von Capsaicin, einer Substanz, die die Freisetzung von Substanz P fördert, auf reproduzierbare Weise zur Entstehung von Husten führt [37]. Eine Untersuchergruppe fand heraus, dass schon eine einzige Captoprilgabe zu einer kleinen aber signifikanten Erhöhung in der Empfindlichkeit von Normalpersonen gegenüber den Wirkungen einer Capsaicinprovokation auf den Hustenreflex führt [23]. Andere Forscher berichteten über eine Patientengruppe, die entweder mit Enalapril oder mit Ramipril behandelt wurde: obwohl insgesamt keine Änderung in der Sensitivität gegenüber den tussigenen Effekten von Capsaicin beobachtet wurde, reagierten die wenigen Patienten die unter der Therapie mit Enalapril oder Ramipril Husten entwickelten empfindlicher auf die hustenproduzierenden Wirkungen von Capsaicin [38]. Wie ebenfalls festgestellt wurde, reagierten Patienten mit enalapril- oder captoprilinduziertem Husten empfindlicher auf die Capsaicineffekte auf den Hustenreflex als Normalpersonen, wobei diese Sensitivität nach Absetzen der ACEI-Medikation verschwand [39]. Patienten, die entweder enalapril- oder captoprilinduzierten Husten hatten, wiesen niedrigere Scores der Hustensymptome auf und eine geringere Empfindlichkeit gegenüber den Hustenreizwirkungen von Capsaicin, wenn sie eine Woche mit Sulindac anstatt mit Plazebo behandelt wurden [40]. Erhielten dagegen Patienten, die unter idiopathischem trockenem Husten litten Sulindac oder Placebo, wurden keine derartigen Ergebnisse beobachtet. Diese Befunde stehen im Einklang mit einer Beteiligung von Prostaglandinen an der ACEI-assoziierten Hustenentstehung. Zu den Hinweisen, nach denen Prostaglandine die hustenfördernden Rezeptoren im Luftweg aktivieren, gehört die Beobachtung, dass durch Inhalation von Prostaglandin E_2 die Wirkung von Capsaicin auf den Hustenreflex verstärkt wird [41]. Inhalation von Bradykinin führt bei Patienten mit ACEI-assoziiertem Husten zu Hustenreaktionen, nicht aber bei Patienten, die unter ACEI hustenfrei blieben [42]. Dieses Ergebnis stimmt mit der Vorstellung einer Bradykininbeteiligung an der Hustenentstehung nach Gabe von ACEI überein.

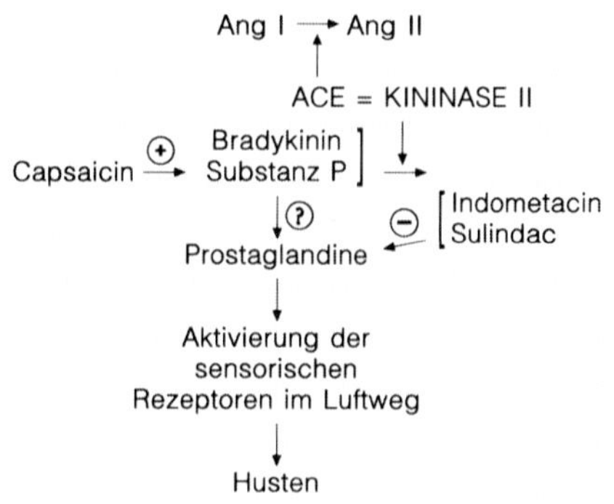

Abb. 1. Arbeitshypothese zur Pathogenese des Hustens bei Patienten unter ACEI. ACEI blockieren die Biokonversion von Angiotensin I (Ang I) zu Angiotensin II (Ang II). Sie haben auch eine Anti-Kininase-Wirkung und erhöhen so die Gewebe- oder Plasmakonzentrationen von Bradykinin und Substanz P. Bradykinin zumindest kann die Bildung der hustenwirksamen Prostaglandine stimulieren. Capsaicin stimuliert die Bildung von Substanz P und verursacht dadurch Husten, während Substanzen, die die Prostaglandinbiosynthese hemmen, wie Indometacin und Sulindac, den ACEI-induzierten Husten hemmen.

Sowohl Bradykinin wie auch Angiotensin I können Substrate für das ACE sein, trotzdem können sich ACEI in ihrer Selektivität als Antagonisten der ACE-Angiotensin-I-Reaktion im Gegensatz zur Kininase-II-Bradykinin-Reaktion unterscheiden [43]. Verglichen mit Enalapril und Captopril führt das neue ACE Delapril bei Ratten zu einer signifikant niedrigeren bradykininabhängigen Blutdruckreduktion, obwohl bei der gewählten Dosierung diese Substanzen eine ähnliche ACE-Hemmung bewirkten [44]. Nach den Ergebnissen einer neueren Studie dürfte Delapril voraussichtlich zu weniger Husten führen als Captopril oder Enalapril [45]. Von 12 Patienten, die unter den Husteneffekten von Enalapril litten, hatten 6 keinen Husten mehr nachdem ihre Medikation auf Delapril geändert wurde [45]. Diese Befunde lassen hoffen, dass ACEI verfügbar sein werden, die – wegen ihrer selektiven Wirkungen auf die ACE-Angiotensin-I-Reaktion – wahrscheinlich in geringerem Masse zu Husten führen als die derzeit gebräuchlichen.

Es wird immer offensichtlicher, dass zu den Wirkungen der ACEI nicht nur die Effekte auf die Angiotensin-Systeme gehören, sondern auch Wechselwirkungen mit Autacoidsystemen wie etwa dem Bradykininsystem. Obwohl es einige Hinweise dafür gibt, dass Autacoide am Auftreten von ACEI-induziertem Husten beteiligt sind, ist dieses Phänomen noch kaum verstanden. Fragen, wie etwa die, warum einige aber nicht alle Patienten unter Gabe von ACEI Husten entwickeln, bleiben unbeantwortet. Neuere Untersuchungen zu den Wirkungen von Delapril, obwohl naturgemäss noch vorläufig, lassen auf die Möglichkeit schliessen, dass ACEI entwickelt werden, die selektiv auf das Angiotensinsystem und weniger auf das Bradykinin/Substanz-P-System wirken und so zu einer geringeren Inzidenz für Husten führen als die derzeit gebräuchlichen.

References

1 Salvetti A: Newer ACE inhibitors. Drugs 1990;40:800–828.
2 Sesoko S, Kaneko Y: Cough associated with the use of captopril. Arch Intern Med 1985;145:1524.
3 Bauer B, Lorenz H, Zahlter R: An open multicenter study to assess the long-term efficacy, tolerance, and safety of the oral angiotensin converting enzyme inhibitor ramipril in patients with mild to moderate hypertension. J Cardiovasc Pharmacol 1989;13:70–74.
4 Israel-Biet D, Delaisements C, Chretien J: Enalapril-induced cough. Lancet 1986;ii:918.
5 Webb D, Benjamin N, Collier J, Robinson B: Enalapril-induced cough. Lancet 1986;ii:1094.
6 Coulter DM, Edwards IR: Cough associated with captopril and enalapril. Br Med J 1987;294:1521–1523.
7 Fosinopril (Startil) – Another ACE-inhibitor. Drug Ther 1991;29:48.
8 Moser M, Abraham PA, Bennett WM, Brachfeld N, Goodman RP, McKenny JM, Hollifield JW, Kirkendall WM, Lasseter KC, Leon AS, et al: The effects of benazepril, a new angiotensin converting enzyme inhibitor in mild to moderate essential hypertension: A multicenter study. Clin Pharmacol Ther 1991;49:322–329.
9 Naranjo CA, Busto U, Sellers EM, Sandor P, Ruiz I, Roberts EA, Janecek E, Domecq C, Greenblatt D: A method for estimating the probability of adverse drug reactions. Clin Pharmacol Ther 1981;30:239–245.
10 Gibson GR: Enalapril induced cough. Arch Intern Med 1989;149: 2701–2703.
11 Hood S, Nicholls MG, Gilchrist NL: Cough with angiotensin-converting enzyme inhibitors. NZ Med J 1987; 100:6–7.
12 Yeo W, Maclean D, Richardson PJ, Ramsay LE: Cough and enalapril: Assessment by spontaneous reporting and visual analogue scale under double-blind conditions. Br J Clin Pharmacol 1991;31:356–359.
13 Lefebvre J, Poirier L, Lacourciere Y: Prospective trial on captopril-related cough. Ann Pharmacother 1992;25:161–164.
14 Sebastian JL, McKinney WP, Kaufman J, Young MJ: Angiotensin-converting enzyme inhibitors and cough. Chest 1991;99:36–39.
15 Puolijoki H, Nieminen M, Moilanen E, Siitionen L, Lanhdensou A, Reinikainen P, Vapaatalo H: Cough induced by enalapril but not captopril. Eur Respir J 1990;2:289–291.
16 Berkin KE: Respiratory effects of angiotensin converting enzyme inhibitors. Eur Respir J 1989;2:198–201.
17 Bucca C, Rolla G, Pinna G, Oliva A, Bugiavi M: Hyperresponsiveness of the extrathoracic airway in patients and captopril-induced cough. Chest 1990;96:1133–1137.
18 Uzubalis RI, Frewin DB, Bushell MK, McEnvoy RD: The effect of angiotensin converting enzyme inhibitor (ACE-I) and selective beta-1-antagonists on bronchial reactivity and cough reflex in man. Eur J Clin Pharmacol 1989;37:467–470.

19 Bucknall CE, Neilly J, Carter R, Stevenson R, Semple P: Bronchial hyperreactivity in patients who cough after receiving angiotensin-converting-enzyme inhibitors. BMJ 1988:286–288.
20 Popa V: Captopril related (and induced?) asthma. Am Rev Respir Dis 1987;136:999–1000.
21 Semple ZPF, Herd GW: Cough and wheeze caused by inhibitors of angiotensin-converting enzyme. N Engl J Med 1986;314:61.
22 Coleridge J, Coleridge H: Afferent vagal C-fiber innervation of lungs and airways and its functions significance. Rev Physiol Biochem Pharmacol 1984;99:68–110.
23 Morice AH, Brown MJ, Higenbottom T: Cough associated with angiotensin converting inhibition. J Cardiovasc Pharmacol 1989;13(suppl 3):S59–S62.
24 Winning AJ, Hamilton R, Guz A: Cough associated with captopril and enalapril. Br Med J 1987;295:215.
25 Dorer F, Ryan J, Stuart J: Hydrolysis of bradykinin and its homologues by angiotensin-converting enzyme. Biochem J 1974;141:915–917.
26 Cascieri M, Bull H, Mumford R, Patchett A, Thornberry N, Liang T: Carboxy-terminal tripeptidyl hydrolysis of substance P by purified rabbit lung angiotensin-converting enzyme and the potentiation of substance P activity in vivo by captopril and MK-422. Mol Pharmacol 1984; 25:287–297.
27 Ichinose M, Barnes P: The effect of peptidase inhibitors on bradykinin-induced bronchoconstriction in guinea-pigs in vivo. Br J Pharmacol 1990;101:77–80.
28 Greenberg R, Osman GH, O'Keefe EH, Antonaccio MJ: The effects of captopril (SQ 14,225) on bradykinin-induced bronchoconstriction in the anesthetized guinea pig. Eur J Pharmacol 1979;57:287–294.
29 Subissi A, Guelfi M, Criscuoli M: Angiotensin converting enzyme inhibitors potentiate the bronchoconstriction induced by substance P in the guinea pig. Br J Pharmacol 1990;100:502–506.
30 Schor K: Converting enzyme inhibitors and the interaction between kinins and eicosanoids. J Cardiovasc Pharmacol 1990;15(suppl 6): S60–S68.
31 Feletou M, Teisseire B: Converting enzyme inhibition in isolated porcine resistance artery potentiates bradykinin relaxation. Eur J Pharmacol 1990;90:159–166.
32 Mombouli JV, Nephtali M, Vanhoutte PM: Effects of converting enzyme inhibitor cilazaprilat on endothelium-dependent responses. Hypertension 1991;18:1122–1129.
33 Ferner RE, Wilson MD, Paterson J, Wilkinson J, Rawlins MD: The effects of intradermal bradykinin are potentiated by angiotensin-converting enzyme inhibitors in hypertensive patients. Br J Clin Pharmacol 1989;27:337–342.
34 Ferner RE, Kamali F, Rawlins MD: The effect of sulindac on dermal responses to bradykinin in normal subjects given an angiotensin converting enzyme inhibitor. Br J Clin Pharmacol 1990;29:363–365.
35 Swartz SL, Gordon WH: Angiotensin-converting enzyme inhibition and prostaglandins. Am J Cardiol 1982;49:1405–1409.
36 Wiemer G, Scholkens BA, Becker R, Busse R: Ramiprilat enhances endothelial autacoid formation by inhibiting breakdown of endothelium-derived bradykinin. Hypertension 1991;18:558–563.
37 Collier J, Fuller R: Capsaicin inhalation in man and the effects of sodium cromoglycate. Br J Pharmacol 1984;81:113–117.
38 McEwan JR, Choudry N, Street R, Fuller RW: Change in cough reflex after treatment with enalapril and ramipril. BMJ 1989;299:13–16.
39 Fuller RW, Choudry NB: Increased cough reflex associated with angiotensin converting enzyme inhibitor cough. Br Med J 1987;295:1025–1026.
40 McEwan JR, Choudry NB, Fuller RW: The effect of sulindac on the abnormal cough reflex associated with dry cough. J Pharmacol Exp Ther 1990;255:161–164.
41 Choudry NB, Fuller RW, Pride NB: Sensitivity of the human cough reflex: Effect of inflammatory mediators prostaglandin E_2, bradykinin, and histamine. Am Rev Respir Dis 1989;140:137–141.
42 Katsumata U, Sekizawa K, Ujiie Y, Susaki H, Takishima T: Bradykinin-induced cough reflex markedly increases in patients with cough associated with captopril and enalapril. Tohoku J Exp Med 1991;164:103–109.
43 Brooks RR, Miller KE, Jones SM, Burns RH, Huang C: Selectivity of converting-enzyme inhibitors for angiotensin I versus bradykinin hydrolysis reactions. J Pharm Sci 1990;79:384–388.
44 Ogihara T, Mikami H, Katahira K, Otsuka A: Comparative study of the effects of three angiotensin converting enzyme inhibitors on the cough reflex. Am J Hypertens 1991;4:46S–51S.
45 Saruta T, Nishikawa K: Characteristics of a new angiotensin converting inhibitor: Delapril. Am J Hypertens 1991;4:23S–28S.

Cardiology 1993;82(suppl 2):72–77

K. Kraft[a]
K.O. Stumpe[a]
A. Schneeweiss[b]

[a] Medizinische Universitäts-Poliklinik, Universität Bonn, BRD;
[b] Cardiovascular Research Foundation, Bad Schwalbach, BRD

Antihypertensiver Effekt von einmal täglich 2,5 mg Cilazapril bei Patienten, die auf ACE-Hemmer ansprechen: Beurteilung durch ambulante 24stündige Blutdrucküberwachung

Antihypertensive Effects of Once-Daily 2.5 mg Cilazapril in Patients Who React to ACE Inhibitors: Assessment According to Out-Patient 24-Hour Blood Pressure Monitoring

Schlüsselwörter

Cilazapril
Ambulante, 24stündige Blutdruckmessung
Hypertonie
ACE-Responder

Zusammenfassung

An 12 Patienten mit milder bis mittelschwerer Hypertonie, von denen bekannt war, dass sie auf ACE-Hemmer ansprechen, wurde die antihypertensive Wirkung des neuen ACE-Hemmers Cilazapril durch ambulantes 24-Stunden-Monitoring überprüft. Im Vergleich zu den Ausgangswerten senkte die einmal tägliche Gabe von 2,5 mg Cilazapril nach 4wöchiger Behandlung den systolischen und diastolischen Blutdruck signifikant ($p < 0{,}01$). Der tagsüber gemessene Blutdruck wurde von 153,1 ± 0,9/104,8 ± 1,4 auf 141,2 ± 0,5/92,5 ± 0,5 mm Hg gesenkt. Die physiologische zirkadiane Blutdruckvariation blieb erhalten, der antihypertensive Effekt war noch 24 h nach der Substanzgabe zu beobachten. Ausgehend von dem ambulanten 24-Stunden-Monitoring belief sich die Responderrate auf 75%. Die Herzfrequenz wurde nicht verändert. Die Einnahme von Cilazapril war weder von subjektiven noch von objektiven Nebenwirkungen begleitet. Schlussfolgernd lässt sich aus der ambulanten Blutdruckmessung über 24 h sagen, dass eine einmal tägliche Cilazapril-Gabe von 2,5 mg bei hypertensiven Patienten den Blutdruck wirksam und sicher kontrolliert.

Einleitung

Die Angiotensin-Konversionsenzym (ACE)-Hemmer hemmen die durch Angiotensin II inducierte Vasokonstriktion und die Freisetzung des Natrium-retinierenden Hormons Aldosteron [1] und senken auf diesem Weg den erhöhten Blutdruck. Cilazapril (Ro 31-28348) ist eine ACE-Hemmer-Prodrug ohne Sulfhydrylgruppe, die sowohl in Hypertonietiermodellen als auch bei hypertensiven Patienten eine starke pharmakologische Aktivi-

Dr. Karin Kraft
Medizinische Universitäts-Poliklinik
Wilhelmstrasse 35–37
D-W-5300 Bonn 1 (BRD)

tät zeigt [2, 3]. Die Substanz wird hauptsächlich in der Leber und im Blut in ihre aktive Form, das Cilazaprilat, umgewandelt. Die Elimination von Cilazapril weist einen biphasischen Verlauf auf, mit einer initialen Halbwertszeit von 1,5 h und einer terminalen Halbwertszeit von nahezu 50 h [2], wodurch eine einmal tägliche Verabreichung möglich ist.

Ziel dieser Studie war es, die antihypertensive Wirkdauer von 2,5 mg Cilazapril, einmal pro Tag verabreicht, bei Patienten mit milder bis mittelschwerer essentieller Hypertonie, die sich aufgrund vorangegangener Erfahrung als ACE-Hemmer-Responder erwiesen hatten, zu bewerten. Es wurden die Wirkungen auf den in der Klinikambulanz manuell gemessenen systolischen und diastolischen Gelegenheitsblutdruck sowie auf den ambulanten 24-Stunden-Blutdruck, auf den zirkadianen Rhythmus, auf den Blutdruckanstieg frühmorgens und die Blutdruck-Loads [4] analysiert.

Methoden

Patienten

Zwölf hypertensive (WHO-Stadium I–II), ambulant behandelte Patienten (7 Männer, 5 Frauen, durchschnittliches Alter 53 ± 8,9 Jahre, Bereich 40–67 Jahre; mittleres Gewicht 67,7 ± 9,0 kg, durchschnittliche Grösse 170,1 ± 6,8 cm) wurden nach vorgeschalteter 2wöchiger Antihypertensiva-freier Zeit in eine offene 4wöchige Studie aufgenommen. Fünf von diesen Patienten hatten zuvor Enalapril (10 mg/Tag), 7 von ihnen Captopril (50 mg/Tag) erhalten. Alle Patienten hatten zuvor auf diese Medikamente mit einer Blutdrucksenkung angesprochen. Ohne Therapie lag ihr manuell gemessener diastolischer Blutdruck bei 100 mm Hg oder darüber. Ein Patient hatte in seiner Anamnese eine Glomerulonephritis, war aber symptomlos und seine Laborwerte zeigten keinerlei Abweichungen, ein weiterer litt an abdominalen Schmerzen, deren Ursache in Adhäsionen nach multiplen operativen Eingriffen zu sehen war, und der deshalb mit Metoclopramid behandelt wurde. Alle Patienten gaben schriftlich ihr Einverständnis, und die Studie wurde durch das ethische Komitee der Universität genehmigt.

Studiendesign und klinische Vorgehensweisen

Die 4wöchige offene klinische Studie wurde im Anschluss an eine 2wöchige einfachblinde Plazebophase durchgeführt. Die Patienten erhielten zwischen 8 und 9 Uhr morgens, einmal pro Tag, 2,5 mg Cilazapril. Zu Beginn der Studie, bevor die tägliche Dosis appliziert wurde, und nach 2 und 4 Wochen Therapie wurden der systolische und diastolische Blutdruck im Sitzen mit einem Quecksilbersphygmomanometer gemessen. Aus zwei nacheinander im Abstand von 5 min durchgeführten Messungen wurden die Durchschnittswerte aufgezeichnet. Gleichzeitig wurde die Herzfrequenz bestimmt. Der ambulante systolische und diastolische 24-Stunden-Blutdruck und auch die Herzfrequenz wurden über ein ambulantes Blutdruckmesssystem (Spacelabs 90202, Kaarst, BRD) zu Beginn der Studie und nach 4wöchiger Behandlung aufgezeichnet. Ein Patient wurde dann als Responder eingestuft, wenn der ambulante mittlere diastolische Blutdruck während des Tages (9–22 Uhr) um mehr als 10 mm Hg abfiel. Vor Therapiebeginn und in der vierten Woche wurde Blut abgenommen für eine ACE-Bestimmung [5]. Bei Eintritt in die Studie sowie in der zweiten und vierten Therapiewoche wurden hämatologische und biochemische Untersuchungen und eine Urinanalyse durchgeführt; die Daten wurden als Mittelwerte ± SEM ausgedrückt. Die statistische Signifikanz wurde durch einen 2seitigen t-Test oder eine multivariate Varianzanalyse (F-Test) ermittelt.

Ergebnisse

Alle 12 Patienten führten die Studie bis zu Ende durch. 2,5 mg Cilazapril, einmal pro Tag verabreicht, verursachte nach der 2- und der 4wöchigen Behandlung eine signifikante Reduktion der gemessenen systolischen und diastolischen Gelegenheitsblutdruckwerte im Sitzen (Tab. 1). Diese Gelegenheitswerte des systolischen und diastolischen Blutdrucks wurden nach 4wöchiger Therapie bei 7 von 12 Patienten um 10 mm Hg und bei 4 von 12 Patienten sogar noch weiter gesenkt. Nach 4wöchiger Therapie fiel bei 6 Patienten der diastolische Blutdruck unter 95 mm Hg ab, bei einem Patienten unter 90 mm Hg.

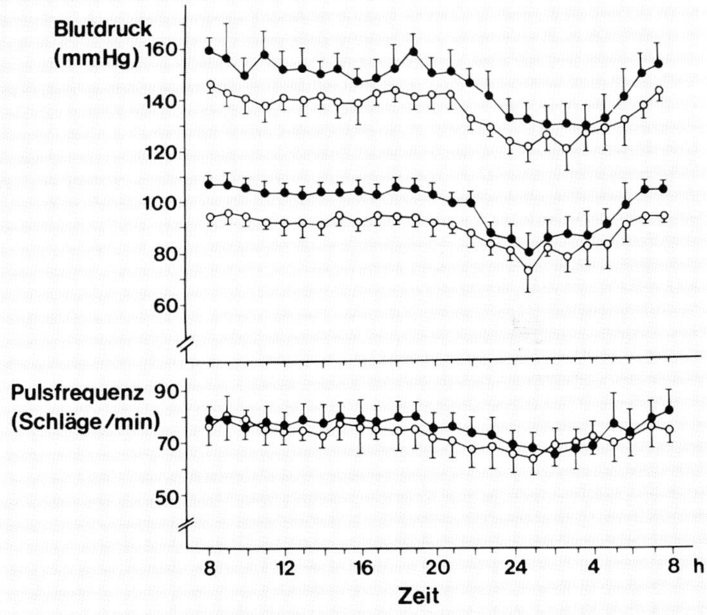

Abb. 1. Mittlerer ambulant gemessener systolischer und diastolischer Blutdruck und Herzfrequenz vor (*–*) und nach (°–°) der Cilazapriltherapie (2,5 mg, einmal/Tag; 95%-Vertrauens-Intervall).

Tabelle 1. Wirkung einer 2- und 4wöchigen Therapie mit einer einmal täglichen Dosis von 2,5 mg Cilazapril auf den gemessenen systolischen und diastolischen Gelegenheitsblutdruck (BD), die Herzfrequenz und die ACE-Konzentration bei 12 Patienten mit milder bis mittelschwerer Hypertonie

	Ende der Plazebophase	Cilazapril	
		2 Wochen	4 Wochen
Systolischer BD, mm Hg	156,9 ± 5,8	143,9 ± 5,2*	143,4 ± 5,9**
Diastolischer BD, mm Hg	102,6 ± 2,4	94,2 ± 4,5*	94,1 ± 4,0**
Herzfrequenz (Schläge/min)	79,7 ± 8,3	76,8 ± 6,8	77,9 ± 6,1
ACE (EU/ml)	32,2 ± 1,3		7,7 ± 0,5***

* $p < 0{,}001$ (zwischen Ende der Plazebophase und 2wöchiger Cilazapriltherapie), ** $p < 0{,}0005$ (zwischen Ende der Plazebophase und 4wöchiger Cilazapriltherapie), *** $p < 0{,}001$ (zwischen Ende der Plazebophase und 4wöchiger Cilazapriltherapie). Mittelwerte ± SEM.

Tabelle 2. Wirkung der 4wöchigen Therapie mit einer einmal täglichen Dosis von 2,5 mg Cilazapril auf den ambulant gemessenen systolischen und diastolischen Blutdruck (BD) und die Herzfrequenz bei 12 Patienten mit essentieller Hypertonie

	Ende der Plazebophase	Cilazapril 4 Wochen
Systolischer BD, mm Hg		
9–22 Uhr	153,1 ± 0,9	141,2 ± 0,5**
23–8 Uhr	136,4 ± 1,3	128,9 ± 2,7*
Diastolischer BD, mm Hg		
9–22 Uhr	104,8 ± 1,4	92,5 ± 0,5**
23–8 Uhr	91,1 ± 1,2	88,5 ± 1,1*
Herzfrequenz, Schläge/min		
9–22 Uhr	77,4 ± 0,7	75,0 ± 0,8**
22–9 Uhr	75,0 ± 1,2	69,6 ± 1,1 [N.S.]

** p < 0,001 (zwischen Ende der Plazebophase und 4 wöchiger Cilazapriltherapie), * p < 0,01 (zwischen Ende der Plazebophase und 4wöchiger Cilazapriltherapie). Mittelwerte ± SEM.

Nach 4wöchiger Cilazapriltherapie waren der systolische und diastolische ambulante Blutdruck tagsüber und während der Nacht gesenkt (Tab. 2, Abb. 1). Bei 9 von 12 Patienten fiel der ambulante systolische und auch der diastolische Blutdruck um 10 mm Hg oder mehr ab. Tagsüber war bei 6 von 12 Patienten der ambulante diastolische Blutdruck auf unter 95 mm Hg reduziert, aber er fiel bei keinem Patienten unter 90 mm Hg. Der antihypertensive Effekt liess sich auch noch 24 h nach Verabreichung der Dosis nachweisen (Abb. 1). Die physiologische systolische und diastolische Blutdrucksenkung während der Nachtstunden der normale Tagesrhythmus blieb unter Therapie erhalten (Abb. 1, Tab. 2). Hinsichtlich des absoluten oder relativen Anstiegs des systolischen oder diastolischen Blutdrucks in den Morgenstunden (5–8 Uhr; Tab. 3) gab es keine Unterschiede zwischen den Ausgangswerten und

Tabelle 3. Mittlerer absoluter und relativer ambulant gemessener systolischer und diastolischer Blutdruckanstieg (BD) am frühen Morgen zwischen 5 und 8 Uhr

	Ende der Plazebophase		Cilazapril 4 Wochen	
	mm Hg	%	mm Hg	%
Systolisch	20,3	15,7	14,2	11,0
Diastolisch	17,6	20,1	11,4	13,5

Tabelle 4. Blutdruck-Loads[a] nach Ende der Plazebophase und nach 4wöchiger Cilazapriltherapie

	Systolisch	Diastolisch
Ende der Plazebophase	84,1 ± 14,3	91,0 ± 8,5
4 Wochen Cilazapril	62,2 ± 23,3**	76,4 ± 21,9*

Alle Werte sind Mittelwerte ± SD.

* p < 0,05, ** p < 0,01 verglichen mit den Werten am Ende der Plazebophase.

[a] Prozentualer Anteil von erhöhten Blutdruckwerten (> 140/90 mm Hg tagsüber und > 120/80 mm Hg nachts) über einen Zeitraum von 24 Stunden.

den Werten nach 4wöchiger Cilazapriltherapie. Die in einer 24-Stunden-Zeitperiode auftretenden Blutdruck-Loads, die als prozentualer Anteil von erhöhten Blutdruckwerten definiert sind (höher als 140/90 mm Hg tagsüber und höher als 120/80 mm Hg nachts) [4], wurden durch Cilazapril signifikant gesenkt (Tab. 4). Die Herzfrequenz wurde durch die Therapie nicht beeinflusst. Die ACE-Konzentration wurde signifikant von 32,2 ± 1,3 (Ausgangswert) auf 7,7 ± 0,5 EU/ml (unter Cilazapril) gesenkt. Unter der Cilazapriltherapie wurden weder die Routinelaborparameter verändert, noch berichteten die Patienten über irgendwelche Nebenwirkungen.

Diskussion

Als Ergebnis aus unserer Studie können wir sagen, dass die durch 2,5 mg Cilazapril, einmal täglich, bewirkte ACE-Hemmung über 24 h den ambulanten systolischen und diastolischen Blutdruck effektiv und ohne Nebenwirkungen zu verursachen senkt. Bei 75% unserer Patienten mit milder bis mittelschwerer essentieller Hypertonie, die bekanntermassen auf ACE-Hemmung ansprachen, war die Therapie gut wirksam. Cilazapril wurde gut vertragen und zeigte keinerlei unerwünschte Wirkung auf die Standardblut- und Serumparameter; dies wurde auch in anderen Untersuchungen bestätigt [3, 6].

Da ACE-Hemmer als Antihypertensiva der ersten Wahl [7] befürwortet worden sind, erhalten Patienten zu Beginn häufig Captopril, um Wirksamkeit und mögliche Firstdose-Effekte beurteilen zu können. Danach, um die Compliance zu verbessern, wird für gewöhnlich die Therapie mit einer neueren Substanz, wie z.B. Cilazapril, fortgeführt, wodurch eine einmal tägliche Gabe möglich wird. Aus neueren Daten ergeben sich Hinweise, dass der durchschnittliche tägliche Blutdruck [8], der diastolische Blutdruck am Arbeitsplatz [9] und der prozentuale Anteil von Blutdruck-Loads [5] bei Patienten mit milder Hypertonie am besten Voraussagen über eine Beteiligung des Herzens als Zielorgan ermöglichen. Ausserdem ist es im Hinblick auf das erhöhte Risiko eines Myokardinfarkts in den frühen Morgenstunden wichtig, gerade zu dieser Zeit den Blutdruck ausreichend zu senken [10].

Für diese Studie wurde die Dosis mit 2,5 mg Cilazapril pro Tag ausgewählt, denn in plazebokontrollierten doppelblinden Dosisfindungsstudien mit Patienten mit milder bis mittelschwerer Hypertonie konnte die ausreichende Wirksamkeit belegt werden [11, 12]. In einer erst kürzlich durchgeführten Studie konnte nach 2wöchiger Therapie mit einmal täglich 2,5 mg Cilazapril eine 50%ige Ansprechrate (diastolische Blutdrucksenkung um 10 mm Hg oder mehr bei der Gelegenheitsblutdruckmessung) gezeigt werden. Mit 5 mg Cilazapril/Tag war es nicht möglich, die Ansprechrate zu steigern [3].

Dass ACE-Hemmer mit langer Eliminationshalbwertszeit in der Lage sind, nach einer einzigen Dosis pro Tag 24 h lang den Blutdruck zu senken, ist bereits beschrieben worden [13]. In dieser Studie fiel bei keinem unserer Patienten der mittlere ambulant gemessene diastolische Blutdruck tagsüber unter 90 mm Hg ab. Hieraus lässt sich der Schluss ziehen, dass eine Cilazaprilmonotherapie bei Patienten, die tagsüber einen mittleren ambulanten diastolischen Blutdruck von 100 mm Hg oder mehr haben, den Blutdruck zwar kontrolliert, aber nicht normalisiert.

Andererseits werden Blutdruck-Loads ausreichend vermindert. Es gibt durchaus Diskussionen zu der Frage, ob in der Hypertonietherapie eine vollkommene Blutdrucknormalisierung angestrebt werden soll. Wenn dies das Therapieziel ist, dann sollte die Cilazaprildosis auf 5 mg/Tag angehoben werden. Als Alternative bietet sich auch an, die niedrigere Dosis mit einer weiteren Substanz, wie z.B. dem Diuretikum Hydrochlorothiazid, zu kombinieren [14].

Die Weiterentwicklung der ambulanten Blutdrucküberwachung ist durch zwei Befunde angeregt worden: 1) Es hat sich immer wieder gezeigt, dass einzelne, in der Klinik vorgenommene Blutdruckmessungen keineswegs optimal dafür geeignet sind, den «wirklichen» Blutdruck zum Messzeitpunkt wiederzugeben [15]. Diese Diskrepanz ist auch durch einen Vergleich manueller Messungen mit intraarteriellen Änderungen bestätigt worden. 2) Bei normotensiven und ebenso bei hypertensiven Patienten fand man bei den Blutdruckwerten bestimmte Tagesschwankungen, wobei ein wesentliches Merkmal der nächtliche Abfall des systolischen und diastolischen Blutdrucks ist. Darüber hinaus hat man festgestellt, dass diese tageszeitlichen Schwankungen eine Beziehung zu zerebrovaskulären und kardiovaskulären Ereignissen haben [10, 16]. In dieser Studie zeigte sich durch den Einsatz des ambulanten Blutdruckmonitorings, dass Cilazapril über einen Zeitraum von 24 h den Blutdruck senkt. Unsere Feststellung, dass die Ansprechrate unter 100% liegt, kann auf einer veränderten Kochsalzaufnahme beruhen [14] oder auch – was noch wahrscheinlicher ist – auf einer zuvor falschen Zuordnung als ACE-Hemmer-Responder, wenn zuvor ausschliesslich eine Gelegenheitsblutdruckmessung vorlag. Die physiologischen Blutdruckschwankungen im Rahmen des Tagesverlaufs wurden unter Cilazapril erhalten, jedoch auf ein niedrigeres Niveau gebracht, in der Art und Weise, wie es auch für andere Antihypertensiva beschrieben wurde [17]. Von besonderer Bedeutung ist dies für die frühen Morgenstunden, denn die kardiovaskuläre Komplikationsrate steigt frühmorgens an [10]. Aus den Studienergebnissen lässt sich schliessen, dass eine einmal tägliche Dosis von 2,5 mg Cilazapril bei Patienten mit milder bis mittelschwerer Hypertonie über einen Zeitraum von 24 h den Blutdruck wirksam und sicher senkt und gut vertragen wird.

Literatur

1 Antonaccio MJ: Angiotensin-converting enzyme (ACE) inhibitors. Annu Rev Pharmacol Toxicol 1982; 22:57–87.

2 Natoff IL, Attwood MR, Eichler DA, Kogler P, Kleinbloesem CH, van Brummelen P: Cilazapril. Cardiovasc Drug Rev 1990;8:1–26.

3 Belz GG, Lange H, Tschollar W, Neis W: Cilazapril bei essentieller Hypertonie. Eine placebokontrollierte Doppelblindstudie zur Dosisfindung. Med Klin 1986;81:524–529.

4 White WB, Dey HM, Schulman P: Assessment of the daily blood pressure load as a determinant of cardiac function in patients with mild-to-moderate hypertension. Am Heart J 1989;118:782–795.

5 Lieberman J: Elevation of angiotensin-converting-enzyme (ACE) level in sarcoidosis. Am J Med 1975;59: 365–372.

6 Williams GH: Converting-enzyme inhibitors in the treatment of hypertension. N Engl J Med 1988;319: 1517–1525.

7 The 1988 report of the Joint National Committee on Detection, Evaluation and Treatment of High Blood Pressure. Arch Intern Med 1988;148:1023–1038.

8 White WB, Schulman P, McCabe EJ, Dey HM: Average daily blood pressure, not office blood pressure, determines cardiac function in patients with hypertension. JAMA 1989;261:873–877.

9 Schnall PL, Pieper C, Schwartz JE, et al: The relationship between «job strain» workplace diastolic blood pressure, and left ventricular mass index. Results of a case report study. JAMA 1990;263:1929–1935.

10 Myers A, Dewer HA: Circumstances attending 100 deaths from coronary artery disease with coroners' necropsies. Br Heart J 1975;37:1133–1143.

11 Lacourcière Y, Poirier L, Provencher P, Pyzyk M: Antihypertensive effects of cilazapril, 2.5 and 5 mg, once daily versus placebo on ambulatory blood pressure following single- and repeat-dose administration. J Cardiovasc Pharmacol 1991;18:219–223.

12 Sanchez RA, Traballi CA, Barclay CA, et al: Antihypertensive, enzymatic and hormonal activity of cilazapril, a new angiotensin-converting enzyme inhibitor, in patients with mild to moderate hypertension. J Cardiovasc Pharmacol 1988;11: 230–234.

13 Fernandez PG, Bolli P, Lee C: The 24 h blood pressure responses of hypertensives to a once-a-day cilazapril regimen. Can J Cardiol 1990;6: 53–58.

14 von Pölnitz A, Lorenz HM, Höfling B: 24-Stunden-Blutdruckprofil. Wirkung von Enalapril bzw. Captopril, kombiniert mit Hydrochlorothiazid. Münch Med Wochenschr 1990;132:643–646.

15 Pickering TG, Harshfield GA, Devereux RB, Laragh JH: What is the role of ambulatory blood pressure monitoring on the management of hypertensive patients? Hypertension 1985;7:171–177.

16 Tsementzis SA, Gill JS, Hitchcock ER, Gill SK, Beevers DG: Diurnal variation of blood pressure and physical activity during onset of stroke. Neurosurgery 1985;17:901–904.

17 Weber MA, Tonkon MJ, Klein RC: Effects of antihypertensive therapy on the circadian blood pressure pattern. Am J Med 1987;82(suppl 1a): 50–52.

Cardiology 1993;82(suppl 2):78–82

Y. Lacourcière
L. Poirier
M. Pyzyk

Hypertension Unit, Research Center, Centre Hospitalier de l'Université Laval, Quebec, und Hoffmann-La Roche, Toronto, Canada

2,5 und 5 mg Cilazapril einmal täglich verglichen mit Plazebo bei Hypertonie

Eine Vergleichsstudie mit ambulantem 24-Studen-Monitoring

2.5 and 5 mg Cilazapril Once Daily Compared with Placebo in Hypertension

A Comparative Out-Patient Study of 24-Hour Blood Pressure Monitoring

Schlüsselwort
Cilazapril

Zusammenfassung
Bei Patienten mit leichter bis mittelschwerer essentieller Hypertonie wurde die 24stündige antihypertensive Wirksamkeit von 2,5 und 5 mg Cilazapril durch ambulantes Blutdruck-Monitoring mit Plazebo verglichen. Durch beide Regime wurde nach 4wöchiger Behandlung eine etwa gleiche Senkung des mittleren ambulanten 24-Stunden- und des Tageszeitblutdrucks erreicht. Darüber hinaus betrug der Prozentsatz der Patienten, deren Blutdruck kontrolliert wurde (durchschnittlicher ambulanter Tageszeitblutdruck <90 mm Hg), in der Plazebogruppe 14%, unter 2,5 und 5 mg Cilazapril 64 bzw. 71%. Weiterhing lag auch der Prozentsatz der Blutdruck-Loads in beiden Regimen ähnlich (29 bzw. 36%). Diese Ergebnisse besagen, dass 2,5 und 5 mg Cilazapril hinsichtlich der ambulanten Blutdrucksenkung gleich wirksam sind.

Patienten und Methoden

Patientenselektion

Patienten beiderlei Geschlechts, im Alter von 25–65 Jahren, mit unkomplizierter milder bis mittelschwerer essentieller Hypertonie wurden in diese Studie aufgenommen. Der diastolische Blutdruck, mit einem gewöhnlichen Sphygmomanometer im Sitzen gemessen, sollte nach einer mindestens 2wöchigen therapiefreien Zeit zwischen 95 und 109 mm Hg liegen. Die Patienten litten an keinen signifikanten kardialen, pulmonalen, renalen, zerebrovaskulären, hepatischen, gastrointestinalen, hämatologischen, neoplastischen oder allergischen Erkrankungen. Weitere Ausschlusskriterien betrafen Frauen im gebärfähigen Alter, Patienten mit instabilem Diabetes und Patienten, denen eine den Blutdruck beeinflussende Begleitmedikation verordnet war. Alle Patienten gaben eine schriftliche Einverständniserklärung, und die Studie wurde durch das örtliche ethische Komitee genehmigt.

Studiendesign

Die Untersuchung wurde nach randomisiertem, doppelblindem, plazebokontrolliertem und parallelem Studiendesign durchgeführt. Nach dem Eintritt in die Studie wurde von den Patienten eine 2wöchige Run-in-Periode durchgeführt, während der sie einfachblind mit Plazebo behandelt wurden. Die Patienten, bei

Dr. Yves Lacourcière
Hypertension Unit
Centre Hospitalier de l'Université Laval
2705, boulevard Laurier
Ste-Foy, Qué. G1V 4G2 (Canada)

Tabelle 1. Auswirkung von 2,5 und 5 mg Cilazapril sowie von Plazebo auf den 24-Stunden-Blutdruck und auf die Blutdruck-Loads

	24-Stunden-Blutdruck mm Hg	Kontroll. Blutdruck[1] %	Blutdruck-Loads[2] %
Plazebo (n = 14)	148,9 ± 15,4/93,2 ± 7,9	14	62,7 ± 23,1
Cilazapril 2,5 mg (n = 14)	136,6 ± 11,1*/85,9 ± 7,6*	64	36,8 ± 24,7**
Cilazapril 5 mg (n = 14)	134,4 ± 11,1*/83,7 ± 6,5*	71	28,6 ± 19,4**

* p < 0,01, ** p < 0,001 im Vergleich mit Werten der Plazebotherapie.
1 Ambulant gemessener Blutdruck während der Tageszeit < 90 mm Hg.
2 Erhöhte Blutdruckwerte über 24 h gemessen während des Tages (> 140/90 mm Hg) und während der Nacht (> 120/80 mm Hg).

denen dann ein mittlerer diastolischer Blutdruck im Sitzen von 95–109 mm Hg, mit einer Abweichung von 10 mm Hg bei zwei aufeinanderfolgenden wöchentlichen Besuchen, festgestellt wurde, erhielten in randomisiertem doppelblindem Design für 28 Tage einmal täglich morgens entweder Plazebo oder 2,5 bzw. 5 mg Cilazapril.

Blutdruckmessungen

Bei jedem Besuch wurden 24 Studen nach der Medikamenteneinnahme der Blutdruck (systolisch und diastolisch in Phase V) und die Herzfrequenz im Sitzen festgestellt. Der Blutdruck wurde während der gesamten Studie mit einem kalibrierten Standard-Quecksilbersphygmomanometer nach einer 15minütigen Ruhepause immer am gleichen Arm von einem bestimmten Untersucher gemessen. Die 24stündige ambulante Blutdruckmessung wurde bei jedem Patienten während eines Wochentages nach der letzten Dosis der doppelblind verabreichten Substanz mit einem automatischen Blutdruckmessgerät (Spacelabs 90202, Montreal, Canada) durchgeführt. Die Blutdruckwerte wurden von 7 bis 23 Uhr alle 15 min, von 23 bis 7 Uhr alle 30 min aufgezeichnet. Die mit dem ambulanten Messgerät und einem Standard-Quecksilbermanometer erhaltenen Werte wurden über ein «t-tube»-Sammelsystem [6] korreliert. Die während der Tageszeit (> 140/90 mm Hg) und der Schlafphase (> 120/80 mm Hg) gemessenen erhöhten Blutdruckwerte dienten dazu, bei jedem Patienten den Prozentsatz abnormaler Blutdruckwerte (Blutdruck-Loads) zu errechnen [7].

Vor Studienbeginn und bei Ende der Studie wurden zur Überprüfung der Sicherheit Laboruntersuchungen gemacht (Hämoglobin, Erythrozyten, Leukozyten, Thrombozyten, alkalische Phosphatase, GOT, GPT, Proteinurie, EKG). Spontan berichtete Nebenwirkungen wurden vermerkt. Die Compliance wurde überprüft, indem die zurückgegebenen Tabletten abgezählt wurden.

Statistische Analyse

Demographische Daten und Ausgangswerte wurden mittels einseitiger Varianzanalyse (Anova) verglichen. Vergleiche zwischen 2,5 und 5 mg Cilazapril sowie Plazebo wurden in einer zweiseitigen Varianzanalyse ermittelt und mit dem Duncan's-Test für Unterschiede weiter analysiert, wenn sich die Anova-Werte mit p < 0,05 als signifikant erwiesen. Die Daten sind als Mittelwerte ± Standardabweichung angegeben. Ein p-Wert < 0,05 wurde als statistisch signifikant betrachtet.

Ergebnisse

Die nach 4wöchiger Therapie ausgewertete ambulante Blutdruckmessung zeigte, dass die mittleren systolischen und diastolischen 24-Stunden-Blutdruckwerte sowohl mit 2,5 als auch mit 5 mg Cilazapril verglichen mit Plazebo signifikant und etwa in gleichem Ausmass gesenkt waren (Tab. 1). Die stündlichen

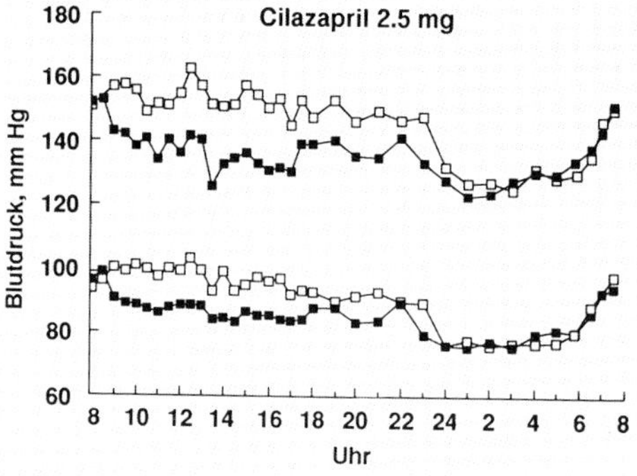

Fig. 1.

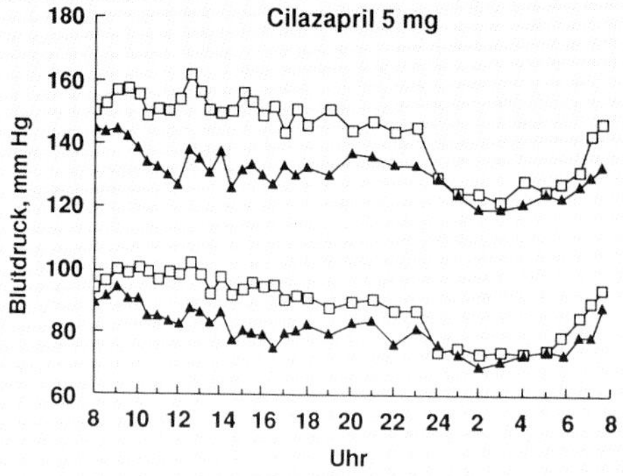

Fig. 2.

Durchschnittswerte der ambulanten Blutdruckmessung nach der letzten verabreichten Dosis zeigen die Abbildungen 1 und 2. Verglichen mit Plazebo zeigt sich, dass in nahezu jeder Stunde tagsüber (7–23 Uhr) sowohl mit 2,5 als auch mit 5 mg Cilazapril der systolische und diastolische Blutdruck signifikant gesenkt werden. Der mittlere Blutdruck wurde von Plazebo ausgehend (153,3/96,6 ± 13,9/6,8 mm Hg) durch 2,5 mg Cilazapril auf 138,4/87,7 ± 12,3/7,8 mm Hg ($p < 0{,}001$ für systolischen und diastolischen Blutdruck) und durch 5 mg Cilazapril auf 136,1/85,5 ± 11,4/6,8 mm Hg ($p < 0{,}001$ für systolischen und diastolischen Blutdruck) annähernd gleich gesenkt. Andererseits erwies sich der durch die ambulante Blutdruckmessung festgestellte Einfluss von Cilazapril während der Schlafenszeit (23–7 Uhr) als nur mässig und statistisch nicht signifikant. Der mittlere Blutdruck wurde von 134,3/82,3 ± 21,4/13,2 mm Hg (unter Plazebo) durch 2,5 mg Cilazapril auf 130,4/79,7 ± 11,7/9,0 mm Hg und durch 5 mg Cilazapril auf 128,3/77,5 ± 13,0/8,1 mm Hg gesenkt (kein signifikanter Unterschied). Im Vergleich des 2,5- mit dem 5-mg-Regime (Abb. 3) wurden keine signifikanten Unterschiede im Tagesverlauf und bei den systolischen und diastolischen Blutdruckwerten beobachtet. Zudem zeigte sich, dass der Anteil der Patienten mit sehr guter Reaktion (durchschnittlicher ambulanter Blutdruck während der Tageszeit < 90 mm Hg) unter der 5-mg-Dosierung nicht signifikant grösser war (Tab. 1). Darüber hinaus stellten wir fest, dass der prozentuale Anteil von erhöhten Blutdruckwerten oder Blutdruck-Loads (Tageszeit: > 140/90 mm Hg; Schlafenszeit: > 120/80 mm Hg) zwischen den beiden Regimen, obwohl durchaus die 5-mg- Cilazaprildosis bevorzugt wurde, während der 24-Stunden-Periode [7] statistisch nicht signifikant unterschiedlich war.

Die mittlere ambulant gemessene Herzfrequenz war unter Plazebo (73 ± 7 Schläge/min) identisch mit der unter 2,5 mg (73 ± 7 Schläge/min) und 5 mg Cilazapril (75 ± 7 Schläge/min). Im gesamten Verlauf dieser Studie wurden weder signifikante Veränderungen der Laborparameter noch der Elektrokardiogramme gesehen, und es gab keinerlei schwere Nebenwirkungen. Während der Cilazapriltherapie wurde über Kopfschmerzen (1), Müdigkeit (3) und Schwindelgefühl (2) berichtet. Von den Patienten, die Plazebo erhielten, klagten 4 über Kopfschmerzen.

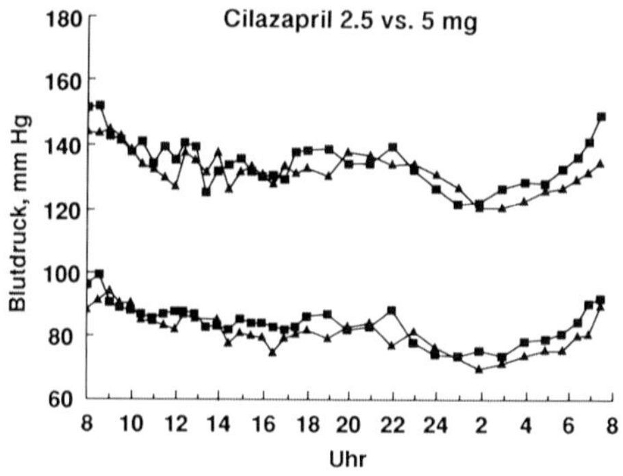

Fig. 3.

Diskussion

In den vergangenen Jahren hat sich gezeigt, dass die ambulante Blutdrucküberwachung sehr viel zuverlässigere Ergebnisse gibt als die bei Gelegenheit einmalig durchgeführte Blutdruckmessung, wenn es darum geht, Wirksamkeit und Wirkdauer von Antihypertensiva zu bewerten [8, 9]. Diese plazebokontrollierte Studie wurde angelegt, um zu untersuchen, ob einmal tägliche Dosen von 2,5 bzw. 5 mg Cilazapril unterschiedliche Einflüsse auf den Blutdruck ausüben.

Das wichtigste Ergebnis aus der Studie war der Befund, dass die antihypertensive Wirksamkeit von einmal täglich 5 mg Cilazapril die der 2,5-mg-Dosis nicht übertrifft. Beide Dosisregime erwiesen sich hinsichtlich des durchschnittlichen 24-Stunden- und des Tageszeitblutdrucks sowie für die Patienten, bei denen der ambulante Tageszeitblutdruck kontrolliert wurde, als signifikant und vergleichbar gut wirksam. Unsere Ergebnisse stehen im Widerspruch zu Ergebnissen einer neueren Studie [10], aus der hervorgeht, dass Cilazapril über einen Zeitraum von 24 h wirksam ist. Andererseits bestätigen unsere Ergebnisse die Berichte von White et al. [11], die auch beobachteten, dass die Blutdrucksenkung während der Schlafenszeit im Vergleich zu Plazebo etwas weniger ausgeprägt ist.

Die relative Bedeutung der Blutdrucksenkung während der Schlafenszeit ist nicht sicher geklärt. Obwohl es Berichte gibt, dass sich bei Hypertonikern kardiovaskuläre Ereignisse häufiger in den frühen Morgenstunden einstellen [12, 13], müssen bei Patienten mit leichter bis mässiggradiger Hypertonie, die während der Schlafphase bereits einen niedrigeren Blutdruck haben, auch andere Faktoren mit in Betracht gezogen werden. Tatsächlich kann sich eine ausgeprägte Blutdruckabsenkung während der Nacht häufig bei älteren Hypertonikern und bei solchen mit insuffizientem Koronarkreislauf nachteilig auswirken [14]. Weiterhin korreliert eine linksventrikuläre Hypertrophie, die bei Hypertonikern ein Anzeichen für Mortalität und kardiovaskuläre Erscheinungen ist, besser zum ambulanten Blutdruck zur Tageszeit als zur Schlafenszeit [15, 16]. Es hat sich auch als erwiesen gezeigt, dass der Prozentsatz von erhöhtem Blutdruck oder Blutdruck-Loads besser in Bezug zur linksventrikulären Masse und zu linksatrialen Indizes steht als zum mittleren 24-Stunden-Blutdruck [8]. Im Rahmen dieser Studie wurden von beiden Cilazaprildosierungen – 2,5 und 5 mg – die Blutdruck-Loads signifikant reduziert.

Zusammenfassend lässt sich aus den Ergebnissen dieser Studie schliessen, dass 2,5 und 5 mg Cilazapril, einmal täglich verabreicht, auf den ambulanten Blutdruck und die täglichen Blutdruck-Loads eine gleich gute antihypertensive Wirkung ausüben. Unsere Befunde unterstützen die Methode der ambulanten Blutdruckmessung, wenn es gilt, Wirksamkeit und Wirkdauer neuer blutdrucksenkender Substanzen zu beurteilen.

Literatur

1 Attwood MR, Francis RJ, Hassal CH, et al: New potent inhibitors of angiotensin converting enzyme. FEBS Lett 1984;165:201–206.

2 Whitehead EM, Walters GE, Williams PEO, Johnston GD: Pharmacokinetics of cilazaprilat in healthy volunteers. Br J Clin Pharmacol 1989;27:873–875.

3 Massarella J, DeFeo T, Lin A, Limjuco R, Brown A: The pharmacokinetics and dose proportionality of cilazapril. Br J Clin Pharmacol 1989;27:199S–204S.

4 Belz GG, Lange H, Tschollar W, Neis W: Cilazapril bei essentieller Hypertonie. Med Klin 1986;81: 524–529.

5 Weber MA, Cheung DG, Graettinger WF, Lipson JL: Characterization of antihypertensive therapy by whole-day blood pressure monitoring. JAMA 1988;259:3281–3285.

6 Greattinger WF, Lipson JL, Cheung DG, Weber MA: Validation of portable non invasive blood pressure monitoring devices: Comparisons with intra-arterial and sphygmomanometer measurements. Am Heart J 1988;116:1155–1160.

7 White WB, Dey HM, Shulman P: Assessment of the daily blood pressure load as a determinant of cardiac function in patients with mild-to-moderate hypertension. Am Heart J 1989;118:782–795.

8 O'Brien E, Cox JP, O'Malley K: Ambulatory blood pressure measurement in the evaluation of blood pressure-lowering durgs. J Hypertens 1989;7:243–247.

9 Weber MA: Automated blood pressure monitoring for the assessment of antihypertensive treatment. Am J Cardiol 1988;62:97G–102G.

10 Güntzel P, Kobrin I, Pasquier C, Zimlichman R, Viskoper JR: The effect of cilazapril, a new angiotensin converting enzyme inhibitor, on peak and trough blood pressure measurements in hypertensive patients. J Cardiovasc Pharmacol 1991;17:8–12.

11 White WB, McCabe EJ, Hager WD, Schulman P: The effects of the long-acting angiotensin-converting enzyme inhibitor cilazapril on casual, exercise and ambulatory blood pressure. Clin Pharmacol Ther 1988;44: 173–178.

12 Muller JE, Ludner PL, Wellich SN: Circadian variation in the frequency of sudden cardiac death. Circulation 1987;75:131–138.

13 Mulcaly D, Keegan J, Cunningham D: Circadian variation of total ischaemic burden and its alteration with antianginal agents. Lancet 1988;ii: 755–759.

14 Floras JS: Antihypertensive treatment, myocardial infarction, and nocturnal myocardial ischaemia. Lancet 1988;i:994–996.

15 Casale PN, Devereux RB, Milner M, Zullo G, Harshfield GA, Pickering TG, Larogh JH: Value of echocardiographic measurement of left ventricular mass in predicting cardiovascular morbid events in hypertensive men. Ann Intern Med 1986; 105:173–178.

16 White WB, Schulman P, McCabe EJ, Dey HM: Average daily blood pressure, not office blood pressure, determines cardiac function in patients with hypertension. JAMA 1989;261:873–877.

Autorenverzeichnis

Sachverzeichnis

International Society for Applied Cardiovascular Biology
(ISSN 1016–4723), **Vol. 2**
Series Editor: P. Zilla, Wels

Applied Cardiovascular Biology 1990–91

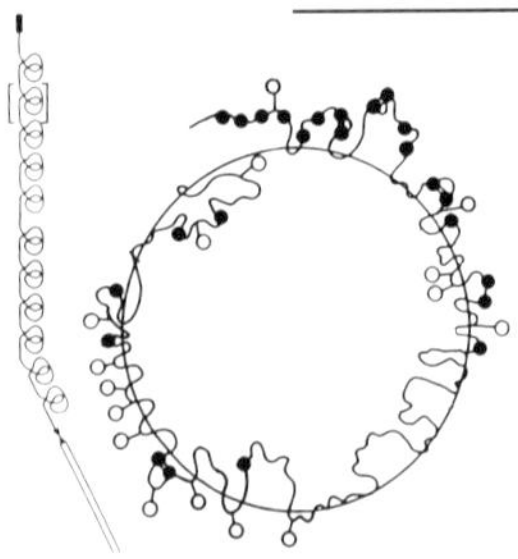

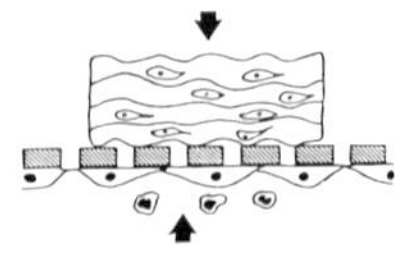

**Editors: P. Zilla,
R. Fasol, A. Callow**

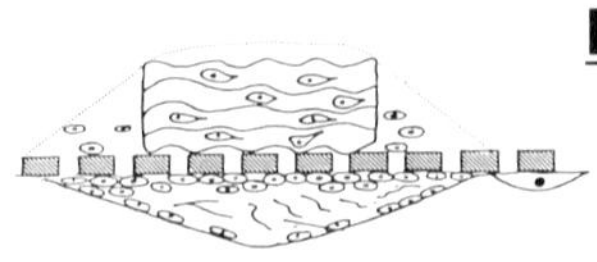

Promotes better understanding and treatment of cardiovascular diseases

Perhaps nowhere in current medical practice and in basic science is there more promise of a fruitful collaboration than is developing between specialists in cardiovascular disease and the disciplines of cell and molecular biology. This volume brings together important international work currently being carried out at this exciting interface. Emphasis is placed at the cellular level with concentration on the endothelial cell, the smooth muscle cell and the blood and its particulate contents. The topics covered include neointimal hyperplasia, immune aspects of atherosclerosis, molecular and cellular biology of the endothelium, newly recognized vasoregulatory substances, co-culture systems, the intracoronary stent and endothelialization of vascular grafts.
Representing the state of the art in research in vascular biology and potential applications, this timely book expedites a valuable exchange of information between the cardiovascular clinician, surgeon and internist and the research scientist engaged in studies of the biology of the cardiovascular system.

Main Headings

Aortocoronary Graft Failure: Atherosclerosis in the Post Operative Patient and Coronary Collaterals
Vascular Graft Failure: Mechanisms and New Therapeutic Horizons
Endothelialization of Vascular Grafts
Clinical Import of Newly Recognized Vasoregulatory Substances
Miscellaneous in Applied Cardiovascular Biology

Fields of Interest

Cardiovascular System; Angiology, Atherosclerosis, Biology, Microcirculation, Prosthetics, Surgery

International Society for Applied Cardiovascular Biology, Vol. 2
Applied Cardiovascular Biology 1990–91
2nd Annual Meeting of the International Society for Applied Cardiovascular Biology, Venice, September 1990
Editors: Zilla, P. (Wels); Fasol, R. (Freiburg i.Br.); Callow, A. (St. Louis, Mo.)
X + 254 p., 89 fig., 28 tab., hard cover, 1992
SFr. 245.– / DM 293.– / £ 122.50 / US$ 196.00
US$ price for USA, £ price for UK only (subject to change)
ISBN 3-8055-5430-3

KI 92520

KARGER

Progress in Applied Microcirculation
(ISSN 0254–5195), **Vol. 18**
Series Editor: K. Messmer, Munich

Editor: K. Messmer

Capillary Functions and White Cell Interaction

This new volume in the series records the proceedings of the 10th Bodensee Symposium on Microcirculation focusing on capillary functions and white cell interaction. Capillary morphology, capillary dynamics and capillary perfusion are prominent topics of the early presentations, whereas later papers deal with the properties of white blood cells as related to their interaction with the microvascular endothelium, in particular during postischemic reperfusion. Concise summaries of the extensive discussions supplement the presentations in order to familiarize the reader with controversial aspects of the respective topics. As a critical review of recent advances, this book serves as an excellent source of information on the subject for all those interested in both clinical and experimental microcirculation research.

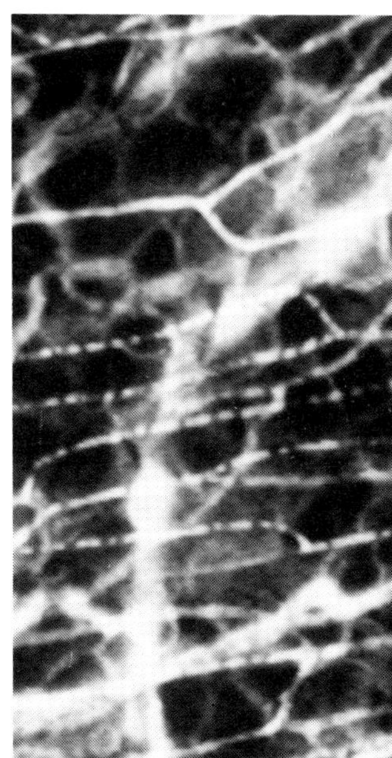

Fields of Interest
Anatomy, Microcirculation; Physiology; Cardiovascular System, Hematology, Immunology, Surgery

Contents

Progress in Applied Microcirculation, Vol. 18
Capillary Functions and White Cell Interaction
10th Bodensee Symposium on Microcirculation, Bad Schachen, June 1990
Editor: Messmer, K. (Munich)
X + 140 p., 57 fig., 5 tab., hard cover, 1991
SFr. 143.– / DM 171.– / US$ 114.50
Prices subject to change
DM price for FRG, US$ price for USA only
ISBN 3–8055–5397–8

KARGER